NEDJMA

L'auteur vit dans un pays du Maghreb. Elle a une quarantaine d'années.
« Nedjma » est un pseudonyme.

L'AMANDE
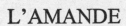

NEDJMA

L'AMANDE

Récit intime

PLON

© Plon 2004

ISBN 978-2-266-14849-8

Prologue

Ce récit est d'abord une histoire d'âme et de chair. Un amour qui dit son nom, souvent crûment, qui ne s'embarrasse d'aucune morale, hormis celle du cœur. A travers ces lignes où se mêlent sperme et prière, j'ai tenté d'abattre les cloisons qui séparent aujourd'hui le céleste du terrestre, le corps de l'âme, le mystique de l'érotisme.

Seule la littérature possède une efficacité d'« arme fatale ». Alors je l'ai utilisée. Libre, crue et jubilatoire. Avec l'ambition de redonner aux femmes de mon sang une parole confisquée par leurs pères, frères et époux. En hommage à l'ancienne civilisation des Arabes où le désir se déclinait jusque dans l'architecture, où l'amour était débarrassé du péché, où jouir et faire jouir était un devoir du croyant.

Je lève ces mots, comme on lève un verre, à la santé des femmes arabes pour qui reprendre la parole confisquée sur le corps, c'est à moitié guérir leurs hommes.

> « Louange à Dieu qui créa les verges droites comme des lances, pour guerroyer dans les vagins [...]. Louange à Celui qui nous fit don de mordiller et de sucer les lèvres, de poser cuisse contre cuisse, et de déposer nos bourses au seuil de la porte de la Clémence. »
>
> Cheikh O.M. Nefzaoui,
> *Le Jardin parfumé.*

En guise de réponse à Cheikh Nefzaoui

Moi, Badra bent Salah ben Hassan el-Fergani, née à Imchouk, sous le signe du Scorpion, chaussant du trente-huit et bouclant bientôt mes cinquante années, déclare ceci : je me fous que les Noires aient les cons savoureux et l'obéissance totale ; que les Babyloniennes soient les plus désirables et les Damascènes les plus tendres pour les hommes ; que les Arabes et les Persanes soient les plus fertiles et les plus fidèles ; que les Nubiennes aient les fesses les plus rondes, les peaux les plus douces et le désir brûlant comme une langue de feu ; que les Turques aient les matrices les plus froides, les tempéraments les plus teigneux, les cœurs les plus rancuniers et l'intelligence la plus lumineuse ; que les Egyptiennes aient le langage doux, l'amitié plaisante et la fidélité capricieuse.

Je déclare me foutre des moutons comme des poissons, des Arabes comme des Roumis, de l'Orient comme de l'Occident, de Carthage comme de Rome, de Henchir Tlemsani comme des jardins de Babylone, de Galilée comme d'Ibn Battouta, de Naguib Mahfouz comme d'Albert Camus, de Jérusalem comme de Sodome, du Caire comme de Saint-Pétersbourg ; de saint Jean comme de Judas, des prépuces comme des anus, des vierges comme des putains, des schizophrènes comme des paranoïaques, d'Ismahan comme d'Abdelwahab, de l'oued Harrath comme de l'océan Pacifique, d'Apollinaire comme de Moutannabi, de Nostradamus comme de Diop le marabout.

Puisque moi, Badra, décrète n'être sûre que d'une chose : c'est moi qui ai le con le plus beau de la terre, le mieux dessiné, le plus rebondi, le plus profond, le plus chaud, le plus baveux, le plus bruyant, le plus parfumé, le plus chantant, le plus friand de bites quand les bites se lèvent tels des harpons.

Je peux le dire, maintenant que Driss est mort et que je l'ai enterré, sous les lauriers de l'oued, à Imchouk la mécréante.

Aujourd'hui encore, il m'arrive de désirer un baiser. Non plus volé entre deux portes, dans l'urgence et la maladresse, mais donné et reçu dans la lenteur et la paix. Un baiser de bouche. Un baiser de main. Un bout de cheville, un détail de tempe, un parfum, une paupière, un bonheur engourdi, une éternité. Mes cinquante ans sont désormais capables d'enfanter. Malgré les bouffées de chaleur et les pics de colère de la ménopause. Hilare, je traite mes ovaires de menteurs. Personne ne sait que je n'ai pas fait l'amour depuis trois ans. Parce que je n'ai plus faim. J'ai abandonné Tanger aux siens. Aux pornos allemands captés par satellite après minuit. Aux péquenots qui puent des aisselles et dégueulent leur bière dans les sombres venelles. Aux dindes qui tortillent du cul et se font embarquer par fournées jacassantes dans les Mercedes volées en Europe. Aux idiotes qui portent le voile parce qu'elles refusent de porter leur siècle et qui quémandent un paradis à moitié prix.

Du coin de l'œil, je surveille le jeune Safi, ouvrier journalier qui me drague effrontément, juché sur mon propre tracteur. Il n'a que trente ans et pense certainement au magot quand il me fait du gringue, l'illettré.

11

Pas au mien, mais à celui que Driss m'a légué par acte notarié daté d'août 1992. Je me demande depuis quinze jours si je ne vais pas mettre ce garçon à la porte, outrée qu'il me soupçonne de lubricité sénile et espère en profiter. Mais je me ravise dès que je vois sa petite fille courir vers lui, les tresses pleines de rubans, et embrasser sa joue mal rasée. Je lui donne encore une semaine avant de lui tirer une volée de chevrotines dans les fesses, histoire de le moucher.

Je sais que je suis une baiseuse hors pair et que, si je décide de me payer le Safi, je lui ferai abandonner femme et enfant. Mais ce bouseux ne sait pas ce que je sais. Qu'on ne baise bien que par amour, jamais pour l'argent, et que le reste n'est que performance. Aimer et le vivre sans détour. Aimer et ne jamais baisser les yeux. Aimer et perdre au jeu. Et, éclopée, accepter que la baise serve de doublure, quand le cœur chute du plus haut du chapiteau et qu'il n'y a aucun filet pour le protéger de ses voltiges. Se fracasser et admettre de vivre désarticulée. Puisque la tête est sauve...

C'est peut-être ce zouave de Safi qui m'a poussée à écrire. Pour raisonner ma colère. Pour démêler l'écheveau. Pour revivre ma vie et en jouir une seconde fois au lieu d'en fantasmer une autre. Sur un cahier d'écolier, j'ai commencé à griffonner des choses. Des noms de rues, des noms de villes. Des souvenirs. Des recettes oubliées.

Un jour, j'ai écrit : « La clé du plaisir féminin est partout : les mamelons qui se dressent, glacés de désir, fiévreux et impérieux. Il leur faut de la salive et des caresses. Mordre et cajoler. Les seins s'animent et ne demandent qu'à laisser gicler leur lait. Ils veulent qu'on les tète, qu'on les touche, qu'on les ramasse, qu'on les enferme et qu'on les libère. Leur orgueil n'a pas de limite. Ni leurs sortilèges. Ils fondent dans la

12

bouche, se dérobent, durcissent et se concentrent sur leur plaisir. Ils veulent du sexe. Dès qu'ils savent que la partie est bonne, ils deviennent franchement lubriques. Ils enferment les verges et, rassurés, s'enhardissent. Leurs mamelons se prennent parfois pour des clitoris ou même pour des bites. Ils viennent se loger dans les replis d'un anus pudique. Forcent l'entrée d'un trou qui, à force de vouloir aspirer un objet ou un être, engloutit tout ce qui se présente : un doigt, un mamelon ou un gode bien huilé. La clé, elle se trouve là où il faut aller, là où on n'a pas idée d'aller : le cou, le lobe des oreilles, le repli d'une aisselle poilue, la raie qui sépare les fesses, les orteils qu'il faut goûter pour savoir ce qu'aimer veut dire, l'intérieur des cuisses. Tout, dans le corps, est capable de délire. De plaisir. Tout râle et ruisselle pour qui sait titiller. Et boire. Et manger. Et donner. »

J'ai rougi de ce que j'ai écrit, puis l'ai trouvé très juste. Qu'est-ce qui m'empêche de poursuivre ? Les poules caquettent dans la cour, les vaches vêlent et donnent un lait épais, les lapins forniquent et mettent bas tous les mois. Le monde tourne rond. Moi aussi. De quoi devrais-je avoir honte ?

« Toi, l'Arabe », disait Driss. L'Arabe est berbère aux trois quarts et pisse à la raie de ceux qui la croient bonne à vider les pots de chambre. Moi aussi je regarde la télé et aurais pu, si on m'avait parlé assez tôt de la physique quantique, être un autre Stephen Hawking. Ou donner un concert à Cologne, comme le Keith Jarrett que je viens de découvrir. J'aurais même pu faire de la peinture et m'exposer au Metropolitan Museum de New York. Car moi aussi je suis poussière d'étoile.

« Toi, l'Arabe. » Bien sûr que je suis arabe, Driss. Qui mieux qu'une Arabe a su te recevoir dans son utérus ? Qui t'a lavé les pieds, t'a donné la becquée, a

13

reprisé tes burnous et t'a fait des enfants ? Qui a guetté ton retour après minuit, plein de vinasse et de blagues douteuses, subi tes assauts hâtifs et tes éjaculations précoces ? Qui a veillé que tes garçons ne soient pas enculés et tes filles engrossées au détour d'une rue ou d'une carrière abandonnée ? Qui s'est tu ? Qui a ménagé le loup et la brebis ? Qui a louvoyé ? Qui a porté ton deuil douze mois d'affilée ? Qui m'a répudiée ? Qui m'a mariée et divorcée pour le simple motif de sauvegarder son orgueil mal placé et ses affaires d'héritage ? Qui m'a tabassée à chaque guerre perdue ? Qui m'a violée ? Qui m'a égorgée ? Qui, à part moi, l'Arabe, en a sa claque d'un islam que tu as défiguré ? Qui, hormis moi, l'Arabe, sait que tu es en plein cloaque et que c'est bien fait pour ta tronche enfarinée ? Alors pourquoi me priverais-je de parler d'amour, d'âme et de cul, ne serait-ce que pour donner la réplique à tes ancêtres injustement oubliés ?

Dans la chambre guiblia[1], Driss avait entassé ses caisses de livres, ses manuscrits enluminés, ses tableaux de maître et ses loups empaillés au regard absent. Depuis sa mort, seule la jeune Sallouha est autorisée à y entrer une fois par semaine pour dépoussiérer le bureau et remplir d'encre fraîche un godet en porcelaine de Chine. Moi, je n'y allais pratiquement jamais, les objets de Driss m'étant familiers mais nullement nécessaires.

Quand j'ai décidé d'écrire ma vie, j'ai ouvert les caisses de livres à la recherche des volumes arabes, épais et très anciens, où Driss allait pêcher ses bons mots et ses quelques sagesses. Je savais que j'y rencontrerais plus fous, plus courageux et plus intelligents que moi.

J'ai lu. Et relu. Dès que je perdais pied, je partais

1. *Guiblia* : orientée au nord.

14

vers les champs. Je suis terrienne. Seuls le souffle du blé et l'odeur des semences pouvaient accorder mes fils embrouillés.

Je suis revenue ensuite aux Anciens, épatée par leurs audaces qui n'ont pas d'équivalent parmi leurs descendants du XXe siècle, dénués, pour la plupart, d'honneur et d'humour. Mercenaires et poltrons, du reste. J'ai marqué une pause chaque fois qu'une idée me frappait par son exactitude ou qu'une phrase m'étranglait par sa verdeur tranquille. J'avoue : j'ai ri aux éclats, comme j'ai eu des sursauts de pudeur. Mais j'ai décidé d'écrire pareil : librement, sans chichis, la tête claire et le sexe frémissant.

J'ai débarqué à Tanger après huit heures de trajet et ce n'était pas un coup de tête. Ma vie allait droit vers la catastrophe, tel un corbillard ivre, et pour la sauver je n'avais d'autre choix que de sauter dans le train qui quitte tous les jours la gare d'Imchouk à quatre heures du matin tapantes. Pendant cinq ans, je l'ai entendu arriver, siffler et partir sans avoir le courage de traverser la rue et d'enjamber la barrière basse de la gare pour en finir avec le mépris et la gangrène.

Je n'ai pas fermé l'œil de la nuit, fébrile et le cœur aux aguets. Les bruits se sont égrenés, identiques, au fil des heures : la toux et les crachats de Hmed, les aboiements des deux chiens bâtards qui montent la garde dans la cour et le chant éraillé de quelque coq étourdi. Avant l'appel à la prière du fajr[1], j'étais debout, entortillée dans un haïk[2] en coton repassé deux jours plus tôt chez Arem, ma voisine et couturière, la seule trente kilomètres à la ronde qui possède un fer à charbon. J'ai récupéré mon baluchon enfoui dans une jarre à couscous, tapoté le museau des chiens venus

1. *Fajr* : aube.
2. *Haïk* : voile en coton ou en lin porté dans certaines régions du Maghreb.

me renifler, traversé la rue et les talus en deux enjambées puis sauté dans le dernier wagon, quasiment plongé dans l'obscurité.

C'est mon beau-frère qui s'est chargé de m'acheter le billet et Naïma, ma sœur, s'est débrouillée pour me le faire parvenir caché dans une pile de baghrir[1]. Le contrôleur qui est venu jeter un œil dans le compartiment l'a poinçonné yeux baissés, n'osant s'attarder à me dévisager. Il a dû me confondre avec la nouvelle épouse d'Oncle Slimane qui se voile et se pique d'imiter les citadines. S'il m'avait reconnue, il m'aurait fait descendre et ameuté ma belle-famille qui m'aurait noyée dans un puits. Ce soir, il rapportera la nouvelle à son ami Issa l'instituteur, en chassant les mouches qui volettent autour de son verre de thé froid et amer.

Le compartiment est resté quasiment vide jusqu'à Zama, où le train s'est immobilisé pendant un bon quart d'heure. Un gros monsieur est monté, flanqué d'un bendir[2] et de deux femmes en mélias[3] bleues et rouges, couvertes de tatouages et de bijoux. Elles ont commencé à se chuchoter des choses, la bouche cachée par leurs ajars[4], ont pouffé en douce, puis élevé la voix, enhardies par l'absence de mâle étranger. Le raïss a ensuite sorti une fiole de la poche de sa djellaba, avalé trois lampées sans reprendre souffle, caressé longuement son bendir avant de jouer un air guilleret et vaguement grivois que j'ai souvent entendu les nomades chanter lors des moissons.

Les femmes se sont vite mises à danser, m'ont fait des clins d'œil canailles en frôlant à chaque déhanchement le torse du musicien avec les mèches de leur

1. *Baghrir* : variété de galettes.
2. *Bendir* : instrument à percussion.
3. *Mélia* : habit traditionnel des femmes rurales du Maghreb.
4. *Ajar* : étoffe couvrant la moitié inférieure du visage.

ceinture aux couleurs arc-en-ciel. Mon air renfrogné a dû les vexer car elles m'ont ignorée durant le reste du trajet.

Je ne me suis pas ennuyée une seconde jusqu'à Medjela où le trio a débarqué, tapageur et fin soûl, probablement pour célébrer quelque noce de riches.

Il me fallut encore deux heures d'autobus pour atteindre Tanger. La ville s'est annoncée par ses falaises, ses façades blanches et les mâts de ses bateaux à quai. Je n'avais ni faim ni soif. J'avais juste peur. De moi-même, faut-il préciser.

C'était un mardi maussade et plein d'ajaj, un vent de sable porteur de migraine et de jaunisse, comme seul peut en souffler le mois de septembre. J'avais sur moi trente dirhams, une fortune, et j'aurais pu aisément héler un des taxis vert et noir qui sillonnent les rues pimpantes de Tanger, ville aux dehors froids quoi qu'en dît mon frère aîné lorsqu'il rentrait au village chargé de tissus pour mon père. J'ai toujours soupçonné Habib de mentir un peu, histoire d'enjoliver les choses et de faire comme tous les gens d'Imchouk, portés sur la fabulation, le gros vin et les putes. Sur le Livre des comptes que tient l'Eternel, les hommes sont certainement inscrits au chapitre des Fanfarons.

Je n'ai pas pris de taxi. J'avais l'adresse de Tante Selma grossièrement griffonnée sur un bout de papier quadrillé, arraché au cahier de mon neveu Abdelhakim, celui qui s'est roulé le soir de mes noces sur le lit conjugal pour conjurer le mauvais sort et m'inciter à donner un héritier à mon putois de mari.

En sortant de l'autobus, je titubai un peu, aveuglée par le soleil et les volutes de poussière. Un portefaix, assis en tailleur sous un peuplier, m'a regardée, l'air imbécile, la chéchia crasseuse et le cache-nez taché de jus de chique. C'est à lui que j'ai demandé le chemin, sûre qu'un pauvre ne peut chercher noise à une femme en voile ni se permettre de l'importuner.

— La rue de la Vérité, dis-tu ? Ben, je sais pas trop, cousine !

— On m'a dit que c'était tout près de Mouley Abdeslam.

— C'est pas loin d'ici. Tu remontes le boulevard, tu passes par le Grand Socco et tu rentres dans la médina. Là-bas, il y aura certainement quelqu'un pour t'aider à trouver cette rue.

C'était un campagnard, un frère de race, et son accent de natif du bled m'a fait chaud au cœur. A Tanger aussi, on parlait le gua des bourgades perdues. Je me suis éloignée, hésitante, j'ai fait quelques pas dans la direction approximative indiquée par le portefaix quand un jeune homme vêtu d'un bleu de chauffe, chèche assorti et l'air fiérot, m'a barré la route :

— N'aie pas peur. Je t'ai entendue demander le chemin à Hasouna le portefaix. Je suis du quartier et je peux te conduire à l'adresse que tu cherches. Tu sais, Tanger est une ville dangereuse et les femmes qui ont ta beauté n'y circulent jamais seules.

Prise de court, désarçonnée par son audace, je n'ai pas su quoi répondre. Les deux tiers du visage cachés par le voile, je l'ai foudroyé du regard, offusquée. Il a éclaté de rire :

— Ne me regarde pas comme ça ou je tombe raide mort. Tu débarques de la campagne. C'est visible comme le nez au milieu de la figure. Je vais juste t'escorter. Je ne peux pas laisser une ouliyya[1] traverser Tanger sans protecteur. Tu n'es pas obligée de me répondre. Contente-toi de me suivre et *alik aman Allah*, tu es sous la protection de Dieu.

Je l'ai suivi, n'ayant pas d'autre choix, me disant que je pouvais toujours hurler s'il tentait un geste,

---

1. *Ouliyya* (pluriel *oulaya*) : désigne la femme en général et sous-entend « femme sans défense ou sans protection ».

ameuter les passants tout autour, ou m'adresser à l'un des policiers de la circulation, sanglés dans leur uniforme barré de lanières au cuir éclatant. Au fond, je n'avais pas si peur que cela. D'avoir osé prendre le train pour fuir mon mari réduisait toutes les autres audaces à des enfantillages.

Je jetais des regards furtifs à l'homme qui me précédait et lui trouvais fière allure. Le même âge que moi, visiblement, et un dandinement de coq guerrier. Pas une fois il ne s'est retourné, mais je sentais qu'il était conscient du regard satisfait que je posais sur ses larges épaules, fascinée par sa virilité. Une étrange sensation se répandait dans mes veines : le plaisir de braver l'interdit dans une ville où je ne connaissais personne et où personne ne me connaissait. Je me suis même dit que la liberté était plus soûlante que le printemps.

J'ai eu du mal à conserver le regard fixé sur mon guide, tant les rues m'ont paru larges et leurs platanes imposants. Partout des cafés et des hommes en djellabas et costumes européens installés sur les terrasses. Plus d'une fois, j'ai senti mes jambes flageoler sous les regards insistants qui soulevaient mon voile couleur beurre frais porté à la mode citadine. Tanger a eu beau m'impressionner par ses bâtisses, ses hommes m'ont paru en tout point pareils à ceux que j'avais laissés là-bas à Imchouk, à patauger dans le crottin et à enculer les mouches.

Au bout de vingt minutes de marche, l'homme a bifurqué à gauche, puis s'est engouffré dans une ruelle. Un boyau qui ne cessait de monter en serpentant. J'ai eu brusquement soif dans cette sombre venelle que j'enfilais derrière un guide dont je ne connaissais pas le nom.

Arrivé à l'entrée de la médina, il s'est arrêté. Il faisait de nouveau jour et le silence était total, hormis le lointain écho des versets coraniques psalmodiés par un chœur d'enfants. Mon guide dit, sans se retourner :

21

— Nous y voilà. Alors, c'est quelle maison que tu cherches ?

Je lui ai tendu le bout de papier fripé que je serrais au creux de la main. Il l'a examiné longuement avant de s'exclamer :

— Eh bien, c'est là, juste à ta droite !

Etais-je vraiment arrivée à destination ? Le doute m'a soudain gagnée. La porte que désignait mon guide pouvait cacher un guet-apens, un antre où des malfrats me drogueraient, abuseraient de moi, me décapiteraient et me jetteraient dans des « grottes creusées dans la falaise » ou des criques qui « empestent comme aucun putois de chez nous ne pourrait jamais le faire », affirmait mon frère Habib.

L'homme devina mon inquiétude :

— Tu as un nom, à part l'adresse ? Quelqu'un qu'on puisse appeler ?

Je murmurai, pleine d'espoir :

— Tante Selma.

Il a poussé la lourde porte cloutée de l'entrée et s'est engouffré dans une driba [1] obscure. Je l'ai entendu crier à tue-tête : « *Ya oumalli ed-dar*, ho ! gens de la maison, il y a quelqu'un ? »

Les volets d'une fenêtre ont claqué par-dessus ma tête, une porte a grincé et des voix sont montées, inconnues et légèrement étouffées.

— Y a-t-il une Tante Selma ici ?

Un murmure, des pas précipités et ma tante qui apparaît inquiète, chaussée d'un michmaq [2] rose ciselé tel un bijou. Elle s'envoya une grande claque sur la poitrine :

— Ouoh ! Qu'est-ce que tu fais là, toi ?

Elle, en tout cas, était bien là et c'est tout ce qui

1. *Driba* : vestibule ou couloir d'entrée.
2. *Michmaq* : mules finement tressées ou brodées.

m'importait. Mon guide surgit dans son dos, heureux et pas peu fier de l'avoir dénichée. J'ai eu envie de rire.

— Qu'est-ce qui t'arrive ? Il y a eu un mort, là-bas ?

Je répondis, étourdie et parfaitement sincère : « Moi. »

Elle a vite repris ses esprits, a regardé, intriguée, mon guide, l'a remercié de sa gentillesse. Ma réponse m'a semblé avoir amusé le jeune homme qui a ajusté son bonnet, croisé les bras dans son dos et a lâché à l'adresse de mon hôtesse : « Mission accomplie, Lalla [1]. Simplement, un conseil : avec les yeux qu'elle a, cette gazelle, ne la lâche jamais d'une semelle. » Il a souri. Il est parti. Il occupait déjà ma tête.

1. *Lalla* est un titre donné aux femmes âgées ou de la bourgeoisie. Equivalent à Maîtresse ou Madame.

Tante Selma était en pleine fête féminine lorsque je l'ai dérangée. Plus tard, j'ai appris que les après-midi étaient le temps des femmes à Tanger. Elles se retrouvent en tenues d'apparat, mondaines et enjouées, autour de plateaux de pâtisseries, à siroter café et thé, s'essayant à la cigarette espagnole ou américaine, échangeant leurs blagues osées, leurs cancans et leurs confidences, sincères à moitié. Les *ichouiyyates* étaient un rite social des plus sérieux, presque aussi important que les *frouhates*, ces soirées de mariage, de circoncision ou de fiançailles empesées et protocolaires où il fallait arborer ses plus beaux atours et ne jamais paraître ni pauvre ni délaissée par le mari.

Elle m'a installée dans une chambre fraîche, a allumé une lampe à pétrole, s'excusant de devoir m'abandonner : « Tu comprends, les gens m'attendent là-haut, chez la voisine. » Elle a posé une carafe d'eau et un verre sur la table, m'a dit qu'elle ne tarderait pas à revenir. J'ai bu de longues goulées d'eau, à même la carafe, et me suis endormie tout de suite, épuisée. C'est la vision de l'homme au bleu de chauffe qui m'a bercée avant que je ne sombre dans un sommeil aux rêves striés de gris et de jaune, tel un ciel d'orage automnal.

Je me suis réveillée au milieu de la nuit, affamée, la tête calée par un traversin, une couverture de laine jetée sur les jambes. Le canapé était étroit et dur, et les bruits de la maison m'étaient inconnus. A mes pieds gisait le baluchon où j'avais glissé un pain frais et deux œufs durs. La faim est plus grande que la peur. J'ai dévoré ma pitance, les yeux fermés, dans cette chambre oblongue où l'ombre immense des meubles se projetait, hostile, sur les murs et le plafond, plus hauts que ceux d'Imchouk.

Je me suis rendormie en m'interdisant toute réflexion. J'étais à Tanger. Peu importaient mes vingt ans qui n'avaient rien à quoi s'accrocher. Mon passé était derrière moi. Il s'éloignait comme s'éloignent les nuages chargés de grêle, pressés et coupables. Mais Imchouk était là et irradiait de toute sa lumière. Dans mes rêves, je cours toujours pieds nus, et coupe à travers les champs d'orge et de luzerne pour semer mes compagnons de jeu, les cheveux piqués de coquelicots et le rire clair.

Imchouk est tout à la fois stupide et étrange. Aussi plate que la platitude elle-même et plus tortueuse que les grottes de Djebel Chafour qui la livrent, sur son flanc ouest, aux vents et à la caillasse noire et fendillée du désert. Posée à deux pas de l'enfer, la verdure qui y flamboie, grasse et païenne, semble narguer les sables qui la guettent et font le siège de ses vergers. Les maisons y sont basses et blanches, les fenêtres étroites et peintes en ocre. Un minaret se dresse en son centre, non loin du bar des Incompris, unique lieu où les hommes peuvent blasphémer et dégueuler en public.

L'oued Harrath a dessiné à Imchouk une fente qui divise le bourg en deux quartiers de lune opposés. Petite, je me suis souvent assise parmi les lauriers luxuriants qui ondulent, amers et menteurs, sur ses rives pour le voir couler, goguenard et traître. Comme les hommes d'Imchouk, l'oued Harrath aime parader et a la manie de tout piétiner sur son passage. Son eau moirée, que les crues de l'automne rendent boueuse et écumante, serpente à travers le village avant de se perdre au loin, dans la vallée. « Cet oued est indécent », fulminait Taos, la seconde épouse d'Oncle Slimane. Je ne savais pas, à l'époque, ce qu'était la décence, ne voyant autour de moi que des coqs sautant leurs poules et des étalons saillant leurs pouliches. Plus tard, j'ai compris que cette calamité de décence ne s'impose qu'aux femmes pour en faire des momies fardées aux yeux vides. Traiter l'oued d'indécent résonnait d'une rage qui reprochait tacitement à Imchouk sa lubricité de femelle féconde. Celle qui rend fous les bergers et leur fait enfourcher le premier machin qui rappelle une croupe féminine, vagin d'ânesse et trou de bique compris.

J'ai toujours adoré l'oued Harrath. Peut-être parce que je suis née l'année de sa crue la plus monstrueuse. Il avait débordé de son lit, envahi les maisons et les échoppes, introduit la langue jusque dans les cours intérieures et les réserves de blé. C'est Tante Selma qui m'a raconté l'épisode, quinze ans plus tard, assise dans la cour de sa maison couverte de vigne, qu'Oncle Slimane avait dallée de marbre pour lui dire à quel point il aimait sa femme. Son décolleté heureux faisait plaisir à la gamine que j'étais encore et dont les seins commençaient à s'arrondir sous des robes légères. Tante Selma parlait et, entre deux rires, fendait les amandes, vertes et rêches, d'un coup sec assené avec un bras de mortier en cuivre jaune. Elle aimait l'été pour l'abondance de ses fruits qui s'entassent dans le vestibule dans de grands couffins en osier rapportés directement des vergers par les métayers.

« Cette année-là, nous sommes restés coupés du

monde pendant vingt et un jours, se souvint-elle. Et le monde s'en foutait comme du cul terreux de Bornia ! Tu parles d'une lune de miel ! J'aurais mieux fait d'attendre chez ma mère, bien au sec, que passent les orages de novembre ! ajouta-t-elle en s'esclaffant. Mais j'étais gourde et ton oncle impatient. Imagine la tête que j'avais quand j'ai débarqué en caftan de soie et talons aiguilles dans ce trou perdu ! Sais-tu que les paysannes faisaient des kilomètres pour venir me reluquer comme une bête curieuse ? Elles tiraient sur mes cheveux pour être sûres que je n'étais pas une poupée. Un pays de bouseux, je te dis ! »

Elle m'offrit une poignée d'amandes blanches, puis ranima le feu du brasero par quelques coups d'éventail. Le thé chantonnait, répandant son odeur lourde et sucrée.

« La crue a donné à tes bigots de cousins des fièvres et des hallucinations, reprit Tante Selma. Tijani le bigleux et Ammar le cul-de-jatte ont décrété que tant d'eau était de bon augure : elle ensemence la terre et nettoie, au passage, nos cœurs du péché. Le péché ! Ils n'ont que ce mot à la bouche ! Comme si on n'était pas des musulmans et qu'on passe nos journées à chier dans les blés ! Ces tarés se prennent pour le mufti de La Mecque parce qu'ils récitent trois versets du Coran sur les macchabées avant qu'on les mette dans le trou. Que la variole leur crible la face de pustules ! Quant aux autres morveux, ils sont allés raconter partout que c'était le Déluge annonciateur de la fin des temps. Foutaises ! Tant que Gog et Magog se tiennent à carreau, que ce borgne d'Antéchrist ne s'est toujours pas pointé à Jérusalem et que Jésus, Fils de Marie, n'est pas revenu mettre un peu d'ordre dans le bordel cosmique, on peut dormir tranquille ! Sûr que Dieu en a sa claque de nos cruautés, mais Il ne se décide toujours pas à nous chasser de son bel Eden à coups de pied dans le cul ! Parce que tu te doutes bien que l'Eden, c'est ici-bas et qu'on n'en aura jamais un autre aussi beau, même au plus haut des cieux ! Que Dieu nous pardonne nos méchancetés et nos bêtises ! »

J'ai manqué pisser de rire tant Lalla Selma était douée pour les sarcasmes et les blasphèmes imagés. Celle qui s'était débrouillée pour hériter, je ne sais par quel miracle, du savoir d'un illustre oncle théologien, n'avait pas sa pareille pour affubler chacun d'un surnom qui en faisait la risée du chef-lieu. Comme elle était la seule à pouvoir engueuler Dieu sans jamais Lui manquer de respect.

Elle a ajouté, sourcils froncés et regard pensif : « Tu sais quoi ? Je ne crois pas au péché. Et ceux qui s'en gargarisent n'auront, le jour du Jugement dernier, que leurs bites pleines de croûtes à étaler comme seul et hideux péché sous le saint regard du Maître des mondes. Ils croient que les vilenies commises par leur bout de viandasse vont L'impressionner ! Moi, je te dis que tous ces bâtards pourriront en enfer pour n'avoir pas été foutus de commettre de beaux et nobles péchés, dignes de l'infinie grandeur de Dieu Tout-Puissant ! »

En fulminant contre les gens d'Imchouk, Tante Selma disait toujours « ils ». Jamais « elles ». Comme si les frasques des femmes n'étaient que des broutilles destinées à faire rire les constellations.

Troublée, je me suis risquée à lui demander ce qu'était un beau et noble péché. Elle a eu son rire ensoleillé de lionne, faisant détaler le jeune chiot marron qu'elle nourrissait au biberon et qui n'arrêtait pas de lui lécher les pieds. Elle a murmuré, soudain grave et rêveuse : « Aimer, ma fille. Juste aimer. Mais c'est un péché qui mérite le paradis comme récompense. »

Tante Selma est tangéroise de naissance. Arrivée un beau jour au bras d'Oncle Slimane, elle avait vu pour la première fois de sa vie un oued en crue. Blonde et plantureuse, elle avait pris sans façons le couffin qui me servait de berceau et bécoté le superbe bébé que j'étais, sous le regard nerveux de mon père peu habitué à ce genre d'épanchements.

Nous étions, elle et moi, installées sous l'auvent du patio aux tuiles vertes écaillées et c'était comme si nous étions seules au monde, hors du temps, hors de Tanger. Elle souriait encore au souvenir de son arrivée à Imchouk, ingénue et totalement incongrue, et de l'accueil que lui avait réservé mon père, visiblement contrarié.

— A cause de l'oued ? demandai-je.

— Mais non ! A cause de toi, plutôt ! Une bouche de plus à nourrir alors que les temps devenaient durs et que ta mère, après une halte de cinq ans, semblait repartie pour mettre bas comme une lapine.

Je lui dis que jamais mon père ne m'a fait sentir que j'étais un fardeau. « Et pour cause ! Tu étais sa préférée. Ton père était un tendre mais devait cacher sa

31

nature sensible sous une masse de silences faussement bourrus. Oh, c'est pas toujours gai d'être un homme, tu sais ! Tu n'as pas le droit de pleurer. Même quand tu enterres ton père, ta mère ou ton enfant. Tu ne dois pas dire "je t'aime", ni que tu as peur ou que tu as chopé la chaude-pisse. Ne t'étonne pas, après cela, si nos hommes deviennent des monstres. » Je crois bien que c'est la seule fois où j'ai vu Tante Selma montrer un peu de compassion pour les hommes.

Tout en roulant les miettes du gâteau au sésame qu'elle avait posé à côté de ma tasse de café, je n'ai pas cessé de scruter son visage à la dérobée, redoutant d'y découvrir une réticence ou un signe de contrariété. Non, Tante Selma ne semblait pas m'en vouloir d'avoir atterri chez elle sans la prévenir. Elle m'a laissée émerger doucement de mon sommeil, se contentant de fumer et de siroter ses verres de thé, n'évoquant ses souvenirs d'Imchouk que pour m'amener à lui ouvrir mon cœur, qu'elle devinait cadenassé par la haine et la colère. Désespérant de m'entendre aborder de front le sujet, elle s'est calé solidement les bras sur le ventre, a joué des pouces et a attaqué :

— Bon, maintenant dis-moi : que viens-tu faire ici ? Tu n'as pas mis, j'espère, le feu à la maison ni empoisonné ta belle-mère ? Je préfère te l'avouer tout de suite : ce mariage ne m'a jamais rien dit de bon. Je sais bien qu'il faut se caser, mais pas à ce prix !

J'ai baissé la tête. Si je voulais être honnête avec elle, je me devais de tout lui raconter dans le détail. Mais tant de choses me faisaient mal que je voulais gommer à tout jamais de ma mémoire.

Le mariage de Badra

Hmed avait quarante ans. Je venais d'en avoir dix-sept. Mais il était notaire et le titre lui conférait un pouvoir exorbitant aux yeux des villageois : celui de les faire exister sur les registres d'Etat ! Il avait déjà convolé deux fois, répudié ses femmes pour cause de stérilité. Réputé sombre et coléreux, il habitait une belle propriété familiale, située à la sortie du village, non loin de la gare du chemin de fer. Tout le monde savait qu'il dotait grassement ses futures épouses et leur offrait des mariages fastueux. Il était l'un des meilleurs partis d'Imchouk, convoité par les vierges sages et leurs mères cupides.

Un jour, la mère de Hmed a poussé la porte de la maison et j'ai su, d'emblée, que c'était mon tour de poser la tête sur le billot. J'ai surpris une paysanne en train de chuchoter à maman ses conseils de fausse alliée :

— Accepte ! Ta fille est déjà une femme, tu ne peux pas continuer à la laisser aller en ville poursuivre ces maudites études qui ne lui serviront à rien. Si tu t'entêtes, des vers vont lui pousser et la démanger si bien qu'elle partira chasser le mâle.

Certes, les études ne me disaient pas grand-chose mais retourner me cloîtrer à la maison ne me souriait pas non plus. Le premier et seul collège de jeunes filles de Zrida me servait de sauf-conduit pour franchir les murs et le pensionnat me permettait, surtout, de fuir la surveillance d'Ali, mon coquelet de frère cadet, qui plaçait son honneur dans la culotte des femelles de la tribu et que la mort récente de mon père désignait d'office comme mon tuteur. Commander aux femmes permet aux garçons de s'affirmer rjal[1] et virils. Sans une sœur sous la main à battre comme plâtre, leur autorité s'effiloche et s'atrophie comme une quéquette en mal d'inspiration.

Ma future belle-mère n'a pas attendu l'accord définitif de ma maternelle pour juger et jauger mes capacités à devenir une épouse digne de son clan et de son fils. Elle a débarqué avec sa fille aînée au hammam un jour où j'y étais. Elles m'ont examinée de la tête aux pieds, me palpant le sein, la fesse, le genou, puis le galbe du mollet. J'ai eu l'impression d'être un mouton de l'Aïd. Me manquaient juste les rubans de la fête. Mais, connaissant les règles et les usages, je me suis laissé faire sans bêler. Pourquoi déranger des codes bien huilés qui transforment le hammam en un souk où la chair humaine se vend trois fois moins cher que la viande animale ?

Puis ce fut le tour de la grand-mère, une centenaire tatouée du front aux orteils, de franchir le seuil de la maison familiale. Elle s'est installée dans la cour et m'a regardée vaquer aux affaires du ménage, crachant le jus de sa chique dans un grand mouchoir à carreaux bleus et gris. Ma mère n'a pas cessé de me faire les gros yeux, m'incitant à m'appliquer, sachant que la vieille mégère adresserait un rapport aux siens sur mes talents de ménagère. Moi, je savais qu'il y avait tromperie sur la marchandise.

1. *Rjal* : hommes.

Hmed m'avait connue toute petite et me couvait depuis deux ans d'un regard fiévreux à chaque départ et retour au collège. Il m'a vue marcher, yeux baissés et pas précipités, pressée de fuir les regards voyeurs et les langues fielleuses. Il a jugé que j'étais un joli trou à enfourner et une bonne affaire à conclure. Il voulait des enfants. Rien que des garçons. Me pénétrer, m'engrosser puis se pavaner dans les fêtes d'Imchouk, torse bombé et tête haute pour s'être assuré une descendance mâle.

L'hiver 1962 m'a vue non sur les bancs du collège, mais penchée sur les nappes à broder, les coussins à rembourrer, les couvertures en laine dont je devais choisir les motifs pour les joindre à mon trousseau. Comme prince charmant, je rêvais mieux que Hmed et surtout plus jeune. J'avais honte d'avoir accepté qu'on me brise les doigts et la volonté avec une telle désinvolture. Pour dire non à l'horrible mascarade, j'ai commencé à porter des qamis[1] sans forme et à ramasser mes cheveux dans le premier fichu que je trouvais sur la corde à linge. Je me dégoûtais.

Le collège était loin et le souvenir des camarades, dont la belle Hazima, s'estompait. Du monde extérieur, les nouvelles colportées par la radio me parvenaient en un murmure. L'Algérie voisine était indépendante et le FLN triomphait. Bornia, la simplette, en a dansé dans la rue, tel un satyre au féminin. Ses grands pieds chaussés de lourdes galoches ont battu la mesure de son triomphe sur la terre crayeuse du marché.

Je ne sortais pas, sauf pour me rendre chez Arem, la couturière. En y allant, je contournais consciencieusement la maison des hajjalat[2]. Longer les murs des

1. *Qamis* : désigne un vêtement féminin ou masculin se présentant comme une longue chemise.
2. *Hajjalat* : le mot signifie à l'origine « veuves », mais il désigne dans certaines régions du Maroc des femmes de mauvaise vie.

filles Farhat pouvait coûter cher aux femmes qui s'y risquaient. Mais j'avais déjà osé un regard sur plus intime que leur maison et le souvenir râpeux qui m'en restait ricanait sournoisement au nez d'Imchouk la sévère.

Mon mariage imminent m'a valu quelques privilèges. Une jeune paysanne m'a remplacée pour le ménage car il n'était plus question que je m'abîme les mains à laver le carrelage, à filer la laine ou à pétrir le pain. Je vivais comme un Ali au féminin : sans corvée à expédier, sans ordres à exécuter. J'ai eu droit à des menus opulents et le meilleur morceau de viande me revenait de droit. Je devais atteindre un embonpoint respectable avant de rejoindre la couche conjugale. On m'a gavée de sauces onctueuses, de couscous arrosé de sman[1], de baghrir dégoulinant de miel. Sans oublier les pâtes fourrées aux dattes ou aux amandes, ni, grand luxe, les tagines aux pignons, cette denrée rare. Je prenais une livre de graisse par jour et ma mère se réjouissait de mes joues rouges et rebondies.

Puis on m'a cloîtrée dans une chambre sombre. Interdite de soleil, ma peau a pâli et blanchi sous le regard approbateur des femmes de mon clan. Une peau claire est un privilège de riches comme la blondeur est celui des Roumis et des Turcs d'Asie centrale, descendants des deys, des beys et surtout des janissaires, ces mercenaires dont Driss me parlera plus tard avec un mépris consommé.

On m'a interdit ensuite les visites par crainte du mauvais œil. J'étais reine et esclave à la fois. L'objet de toutes les attentions et la dernière concernée par ce qui se passait autour de moi. Les femelles du clan me préparaient à l'immolation en me susurrant que c'était aux femmes de séduire le cœur des hommes. « Et leur

---

1. *Sman* : beurre rance.

corps aussi ! » chuchotait Neggafa, l'épileuse en titre d'Imchouk. Ma sœur répliquait, malicieuse : « Et un homme qui n'arrive pas à séduire sa femme ? Que vaut-il, au bout du compte ? »

Enfin est arrivé le jour des noces. Neggafa a poussé notre porte de bon matin. Elle a demandé à ma mère si elle voulait vérifier la « chose » avec elle.

— Non, vas-y toute seule. Je te fais confiance, a répondu maman.

Je crois que ma mère cherchait à s'épargner la gêne qu'une telle « vérification » ne manque jamais de susciter, même chez les maquerelles les plus endurcies. Je savais à quel examen on allait me soumettre et m'y préparais, le cœur noyé et les dents serrées de rage.

Neggafa m'a demandé de m'étendre et d'enlever ma culotte. Elle m'a ensuite écarté les jambes et s'est penchée sur mon sexe. J'ai senti soudain sa main m'écarter les deux lèvres et un doigt s'y introduire. Je n'ai pas crié. L'examen a été bref et douloureux, et j'ai gardé sa brûlure comme une balle reçue en plein front. Je me suis juste demandé si elle s'était lavé les mains avant de me violer en toute impunité. « Félicitations ! a lancé Neggafa à ma mère, venue aux nouvelles. Ta fille est intacte. Aucun homme ne l'a touchée. » J'ai férocement détesté et ma mère et Neggafa, complices et assassines.

— Eh oui ! soupira Tante Selma. Dire que nous croupissons toujours dans les cavernes alors que les Russes expédient des fusées dans l'espace et que les Américains prétendent aller sur la lune ! Mais estime-toi heureuse. Dans la campagne égyptienne, ce sont les dayas[1] qui déflorent les vierges pour les maris, un mouchoir enroulé autour des doigts. Il paraît même que là-bas, on coupe tout aux femmes. Elles se promènent avec un vrai désastre entre les jambes. C'est pour l'hygiène, prétendent ces païens. Depuis quand la saleté gêne-t-elle les chacals ? Tfou !

Tante Selma fulminait, hors d'elle. Pour ma part, j'essayais d'imaginer à quoi pouvait ressembler un sexe de femme charcuté de ses reliefs. Un frisson d'horreur m'a zébré le dos, de la nuque jusqu'aux fesses.

— Je vais te dire, moi, a poursuivi ma tante : il faut faire la peau à nos frères de race, exactement comme l'ont fait les Tunisiens. Regarde leur Bourguiba ! Il n'est pas allé par quatre chemins. Ouste ! dehors les nanas, et qu'on s'émancipe ! Juré de vous mettre à l'air

1. *Daya* : mot d'origine turque désignant une femme d'un certain âge, parente ou dame de compagnie.

libre. De vous envoyer sur les bancs des écoles, par deux, par quatre, par centaines ! En voilà un homme. Un vrai. En plus de ça, il a les yeux bleus et j'adore la mer.

Puis, se reprenant :

— Et alors ? Dépêche-toi de me raconter la suite car je dois faire à manger. Sinon, tu vas tourner de l'œil avant que ne sonne midi.

Non, je n'ai pas aimé Hmed, mais j'ai cru qu'il allait au moins me servir à quelque chose : faire de moi une femme. M'affranchir et me couvrir d'or et de baisers. Il n'a réussi qu'à me dépouiller de mes rires.

Il rentrait tous les soirs à six heures, ses registres d'état civil sous le bras, empesé. Il embrassait la main de sa mère, disait à peine bonjour à ses sœurs, me faisait un discret salut de la main, et s'installait dans la cour pour dîner.

Le servir, puis débarrasser. Rejoindre la chambre conjugale. Ouvrir les jambes. Ne pas bouger. Ne pas soupirer. Ne pas vomir. Ne rien ressentir. Mourir. Fixer le kilim cloué au mur. Sourire à Saïed Ali décapitant l'ogre avec son épée fourchue. M'essuyer l'entrejambe. Dormir. Haïr les hommes. Leur machin. Leur sperme qui sent mauvais.

C'est ma sœur Naïma qui s'en est doutée la première : cela n'allait pas fort entre Hmed et moi. Elle a tenté de m'indiquer, en rougissant, comment faire pour glaner quelques miettes à la table du plaisir masculin. Je l'ai rabrouée, femme insatisfaite et incapable de le dire. Et j'ai continué tous les soirs, sauf quand j'avais mes affaires, à écarter les jambes pour un bouc quadragénaire qui voulait des

40

enfants et ne pouvait en avoir. Je n'étais pas autorisée à me laver après nos sinistres ébats, ma belle-mère m'ayant ordonné, dès le lendemain des noces, de garder la « précieuse semence » en moi pour tomber enceinte.

Toute précieuse qu'elle était, la semence de Hmed ne donnait aucun fruit. J'étais sa troisième épouse et, comme les deux premières, mon ventre demeurait infertile, pire qu'une terre en jachère. Je rêvais qu'il me pousse des ronces dans le vagin pour que Hmed s'y écorche le machin et renonce à y revenir.

Tante Selma écoutait, le front barré d'un pli soucieux. Les mots étaient explicites et les miens s'enhardissaient à lui dire une misère frappée du sceau du secret. Jamais je n'aurais imaginé l'entretenir ouvertement de mon corps et ses frustrations. Pour la première fois de ma vie, j'étais assise là, à lui parler d'égale à égale, désormais femme après avoir été longtemps sa très jeune nièce. Elle le savait, constatait son âge et le mien, et acceptait la morsure du temps, après celle du mâle inconstant et insouciant. J'ai admiré, tendre et complice, ses seins encore fermes de quadragénaire, sa peau de taffetas, et pensé aux paysannes d'Imchouk qui venaient de loin l'admirer. Comment Oncle Slimane a-t-il pu piétiner une telle opulence et, surtout, comment a-t-il pu en faire son deuil ?

Durant ces trois années, mon ventre a été au centre de toutes les conversations et de toutes les querelles. On surveillait ma mine, ma nourriture, ma démarche et mes seins. J'ai même surpris ma belle-mère en train de scruter mes draps. Ce n'est certainement pas mon eau qui risquait de les tacher, mes sources ayant tari avant même de pouvoir jaillir.

Un enfant ! Un garçon ! Ces seuls mots me donnaient des envies d'infanticide. Au bout de trois mois de mariage, on m'a obligée à boire des infusions d'herbes amères et des gorgées d'urine, à enjamber la tombe des saints, à porter des amulettes griffonnées par des fqihs[1] aux yeux brûlés par le trachome, à m'enduire le ventre de décoctions nauséabondes qui me faisaient raquer mes intestins sous le figuier du jardin. J'ai haï mon corps, renoncé à le laver, à l'épiler et à le parfumer. Adolescente, je ne m'étais jamais lassée de caresser tes flacons en cristal, Tante Selma, me promettant de m'asperger d'eau de rose et de musc, de la tête au sexe, lorsque je serais aussi grande, comme un peuplier.

---

1. *Fqih* : maître en science religieuse mais aussi marabout, voire charlatan.

Et puis trimer. Du lever du soleil jusqu'au coucher. Et puis cuisiner. Jusqu'à détester l'odeur et le goût de la nourriture. Et puis s'étioler et pourrir, prostrée, alors que les jeunes mariées couraient les fêtes, s'en allaient accueillir le printemps dans les champs, poussaient jusqu'aux premières dunes de sable et jouaient, sur le chemin du retour, dans les vergers rieurs.

Ma mère que j'allais voir de temps à autre se trompait sur la nature de ma détresse. Elle me croyait désespérée de n'être pas tombée enceinte et se lamentait sur la « paresse de mon ventre ». Naïma se contentait, elle, de me serrer très fort contre elle en silence. Elle sentait le bonheur, insolent et poivré.

Ma sœur s'est laissée aller un jour et a lâché, furieuse, les yeux pleins d'éclairs :

— C'est sa faute. Tu n'es pas sa première épouse et tu ne seras pas la dernière. Il pourra déflorer cent vierges, il n'aura même pas un poireau pour fils. Alors, arrête de te ronger le cœur et le ventre.

J'ai explosé.

— Je ne veux pas d'enfant et je refuse d'être enceinte.

— Mais alors, tu fais exprès ?

— Non ! Je laisse faire, c'est tout.

— Toi, tu caches des choses. Ton mari est... normal ?

— C'est quoi, être normal ? Il monte. Il pisse. Il descend. Bien sûr qu'il est normal !

Naïma comprit enfin et bredouilla, piteuse :

— Eh bien, débrouille-toi pour avoir ta part. Le plaisir s'apprend, lui aussi.

Le mot lâché, un silence gêné a régné quelques secondes. Pour la première fois, Naïma parlait des choses du sexe sans détour. Mais elle semblait avoir oublié ce qu'avait été ma nuit de noces, les horreurs de la première fois.

Je n'ai jamais eu ma part de plaisir. Hmed, désespéré de voir mon ventre enfin s'arrondir, a renoncé à me toucher. Ses sœurs ont vite fait de deviner la fêlure et m'ont poursuivie de leurs sarcasmes et injures : « Alors, la stérile, Hmed ne veut plus te sauter ? », « Tu dois avoir le vagin troué : il ne retient aucune semence ! » Ou encore : « Si ton cul est aussi renfrogné que ta face, pas étonnant que ton homme te fuie. » Je me suis réfugiée plus d'une fois chez ma mère, mais elle me mettait fermement à la porte au bout d'une semaine : « Ta place n'est plus chez moi. Tu as une maison et un mari. Accepte ton destin, comme nous toutes. »

Que veut dire ce « nous toutes » ? Qu'elle aussi, elle a été violée par mon père et prise contre son goût et sa volonté ? Je ne veux pas appartenir au clan des toutes-à-l'égout, mutilées du cœur et du sexe, comme tes Egyptiennes, Tante Selma ! Je l'ai dit à Naïma et elle n'a pas protesté. Elle m'a même aidée à fuir.

Tante Selma a allumé sa cinquième Kool de la matinée, m'a regardée, yeux mi-clos et index autoritaire :

— Bon, te voilà débarrassée de ce vieux con qui pète au lit au lieu de te satisfaire. Que Dieu pardonne aux aveugles qui t'ont mise entre les mains d'un tel incapable. Oh, il y a à redire dans ce que tu m'as raconté. Mais rien ne presse. On en reparlera tranquillement. Maintenant, tu vas te reposer. Prendre des forces. Oublier.

Elle a repris, tout de suite après :

— Mais dis-moi, ce petit voyou qui t'a ramenée hier jusqu'ici, tu le connais d'où ?

Je lui ai raconté les faits qu'elle interpréta sans doute comme ma première « aventure » à Tanger. Elle a écrasé sa cigarette sur l'un des pieds du brasero :

— Je te parie qu'il reviendra rôder autour de la maison dès cet après-midi ! L'œil du chat ne saurait rater un morceau appétissant !

J'avais envie de me laver et je le lui ai dit. Elle a mis une grande marmite à chauffer sur un primus à pétrole qui siffla et crachota avant que sa longue flamme d'un jaune nauséabond devienne bleue, puis vire au rouge incandescent. Elle a installé une grande bassine dans la cuisine.

— Aujourd'hui, tu vas te laver ici, mais je t'emmènerai bientôt au hammam. Tu verras, rien de commun avec les bains maures de là-bas.

Dans ce « là-bas » pointait un dépit que les années écoulées n'avaient pas réussi à estomper. Tante Selma a dû vivre, après Oncle Slimane, avec un cœur balafré.

Elle m'a ensuite montré les toilettes, logées dans un coin :

— Tu vas être constipée pendant deux jours, changement de lieu oblige, mais au moins tu sais où te soulager. Et ne fais pas attention au gros piège armé dans le coin. Les rats me rendent folle. Ils sortent la nuit des égouts mais, que Dieu les pende par la queue, ils raffolent de fromage ! Cela me permet de les punir par où ils pèchent !

Sous l'eau chaude, j'ai éprouvé légèreté et plénitude pour la première fois depuis longtemps. Yeux fermés, mes mains se sont risquées à effleurer mes épaules et mes hanches. L'eau filait, rigolarde, vers le delta du pubis et la pointe de mes seins se tendait sous la légère morsure de l'air.

Tante Selma a eu raison concernant mon guide. Il n'est pas revenu une fois, mais cinquante, arpentant la ruelle, guilleret, puis de plus en plus penaud. Il a insisté jusqu'à ce que ma tante, excédée, lui permette de franchir la porte et de se planter, gauche et le bonnet de travers, au milieu du patio tout en marbre dont je ne cessais d'admirer les nervures bleues en mes heures de rêvasserie.

— Qu'est-ce que tu nous veux ? dit-elle. Tu as bien voulu escorter ma nièce et on t'en a largement remercié. Mais ce n'est pas une raison pour faire le pied de grue devant chez moi au vu et au su de tout le quartier. Tu crois que c'est un bordel ici, ou quoi ?

Il a rougi violemment et j'ai découvert, interloquée, que, raffinement citadin ou pas, ma tante pouvait en parlant aux hommes être grossière quand elle le voulait.

— Non mais, soyons sérieux ! Tu vas, tu viens, tu tournes et tu rôdes ! Tu fais le beau et après ? Ici, c'est une maison respectable. Toi, le docker, tu dois comprendre une chose : On n'a pas besoin d'homme ici. Encore moins d'un voyou !

Il s'est dandiné deux secondes puis a lâché, raide :

— Je viens demander la main de *bint el hassab wen nassab* [1]...

Elle l'a interrompu, furieuse :

— *Bint el hassab wen nassab* n'est pas à marier ! Allez, ouste, dégage !

— Mais moi, je veux l'épouser selon les préceptes de Dieu et de Son prophète !

— Eh bien, moi, je ne veux pas ! Ses parents l'ont envoyée ici se reposer et voilà que tu lui fais mauvaise réputation alors qu'elle ne sait ni où commence ni où finit Tanger !

Il a hésité.

— Je veux l'entendre de sa bouche !

— Tu veux entendre quoi ?

— Je veux l'entendre dire qu'elle ne veut pas de moi. Et arrêtez de me hurler dessus, sinon je vous fends la tête en deux avec le bras du mortier. Celui que vous avez mis là à sécher, dans le coin, à votre gauche.

Ma tante s'est étranglée. Je me suis enfuie vers la cuisine, pliée de rire. Le bougre ne se laissait pas impressionner par l'air hautain de ma tante et cela me plaisait. Quand je suis revenue dans le patio, je les ai vus converser gravement, par monosyllabes. Je me suis sentie de trop et suis allée m'enfermer dans la chambre d'en face, celle qui est devenue mienne depuis quinze jours. Pour m'occuper l'esprit, j'ai compté les carreaux qui filaient du lit jusqu'à l'entrée et essayé de les comparer aux losanges marron qui partaient, eux, en diagonale.

Le dîner a été bref, silencieux. Je ne savais pas comment on pouvait accommoder le poisson pour en faire un ragoût de roi avec quelques olives et des morceaux de citron confit.

— C'est une *marguet oumelleh*, une sauce dont la

1. *Bint el hassab wen nassab* : jeune fille de bonne famille.

recette m'a été donnée par une voisine tunisienne, dit Tante Selma. Retiens le nom et surtout note qu'il faut du mérou pour réussir cette recette. Tu sais qu'il est touchant, ton bonhomme...

Je me suis tue, m'imprégnant les papilles de jus de poisson parfumé aux câpres, gardant la chair tendre et blanche pour la bonne bouchée.

— Il est amoureux et honnête. Il peut te rendre heureuse. Mais toi, j'ai l'impression que ton cul ne te laissera pas tranquille. Oh, ne proteste pas ! Tu ne sais même pas que tu as un cul, cette chose qui pourrait sortir la terre de ses gonds et faire pleurer, sur pied, les amandiers en fleur. Tu veux te remarier ?

— Non.

— Non, parce que tu n'as rien connu de l'homme. Ton Hmed t'a embrochée en vieux bouc qu'il est, mais il n'est pas allé loin dans l'exploration. Il te reste tant de choses à découvrir...

— Ce que j'ai vécu m'a totalement dégoûtée des hommes.

— Je t'en prie, ferme-la deux secondes et écoute la vieille que je suis, car « qui te précède d'une nuit, te devance d'une ruse » comme dit le proverbe ! Qui te parle des hommes ? Tu n'as pas connu l'Homme. Point. Maintenant, je suis sûre que ton docker de Sadeq te fera sentir l'odeur de la poudre. Mais il est sans le sou et il n'a que sa queue et son cœur pour prier le Dieu du ciel de lui accorder fortune.

Elle a allumé un bâton d'encens, une cigarette et, l'odeur âcre à la bouche :

— Si tu veux un homme, un vrai, avoir des enfants beaux comme les coupoles de Sidi Abdelkader, rire toute la nuit et t'astiquer la peau à l'essence de jasmin sans te soucier de quoi demain sera fait ni si un jour tu seras riche, comblée d'or et de diamants, tu n'as qu'à prendre ton docker. Tout de suite. Tant que tu es innocente et sans désirs. Tu sais, il t'aime comme les puceaux seuls savent aimer.

Elle a arpenté sa chambre ou plutôt son alcôve, disposée tout en longueur, pendant de longues minutes avant de reprendre :

— Mais si tu veux autre chose... de meilleur ou de bien pire... Si tu as envie de volcans et de soleils, si la terre ne vaut pas un clou à tes yeux, si tu te sens capable de la parcourir en une seule enjambée, si tu sais gober la braise sans gémir, marcher sur les flots sans te noyer, si tu veux mille vies plutôt qu'une, régner sur les mondes et ne te satisfaire d'aucun, alors Sadeq n'est pas ton chemin !

— Pourquoi me parles-tu comme ça ? Je ne veux rien, tu le sais. Oublier seulement, et dormir.

— Tu vas dormir mais te poser mille questions. A ton âge, les peines durent le temps d'une larme et les joies, comme ton âme, sont éternelles. Je te demande juste de réfléchir et de me dire demain si oui ou non tu veux de ce docker pour mari.

J'ai dormi à poings fermés, ne rêvant de personne, n'ayant besoin de rien. Je n'ai dit mot, préoccupée du sort des géraniums plus que du mien, veillant à ce qu'Adam, chat tigré et parfaitement sauvage, trouve à deux heures du matin les boulettes de viande qui le remettent de ses ébats sur les toits du quartier.

Tante Selma autorisa ensuite Sadeq à venir quand il voulait, quand il pouvait, s'asseoir sur le banc en bois d'olivier planté en plein milieu du patio, parler et pleurer. Pleurer et parler. Il me dit que Tanger était cruel, qu'il m'avait accompagnée jusque-là, chez cette dame dont on disait qu'elle était libre, folle et belle à convertir un démon à l'islam. Qu'il me voulait juste parce que je ne lui parlais jamais et parce que j'avais des yeux qui l'empêchaient de dormir. De travailler. De se soûler dignement à l'anisette avec les copains. Qu'il revenait hanter les quais du port de Tanger la nuit, quand se lève la brume et que les bateaux sifflent leur chagrin, un bonnet sur la tête, le ventre plein de vapeurs et l'âme fendue en deux, hurlant et blasphémant à pleins poumons. « Si tu me laisses, disait-il, je vais rouiller à quai sans qu'une lalla de mes yeux ne pousse un youyou à mon retour, sans que je puisse mettre un enfant au monde. Je t'en prie, Badra, ne laisse pas ma mère sans enfant. »

Il était fils unique et sa mère perdit la raison le jour où il se jeta sous un train de marchandises, après que je lui eus dit, distraite et lasse d'une année de pleurni-cheries : « Va, je ne t'aime point. »

Le hammam des noces

Elles m'ont couverte d'un voile des pieds à la tête. J'ai traversé les ruelles d'Imchouk au milieu d'un essaim de vierges caquetantes et minaudières. Une horde de cousines, parentes et voisines suivait le cortège, jouant de la tabla et poussant les youyous de circonstance. C'était mon hammam des noces.

A notre arrivée, de longues fumigations s'élevaient déjà sous la coupole du hall d'entrée. Pierre d'alun et benjoin brûlaient dans les braseros et des bismillah[1] fusaient de partout, tels des pétards. Ma combinaison neuve me serrait un peu aux aisselles et je commençais à manquer d'air. Autour de moi, les vierges incrustaient d'énormes bougies blanches sur les rebords des fenêtres. Leur lumière dansante me disait que tout cela était irréel.

Neggafa, enroulée dans un drap qui cachait mal ses plis de graisse, ne m'a pas quittée d'une semelle, claquant bruyamment dans sa bouche sa gomme d'Arabie, légèrement obscène. J'ai macéré, idiote et couverte de sueur, parmi une foule de femmes qui déambulaient à moitié nues.

Neggafa m'a ensuite fait allonger et ma peau n'a

1. *Bismillah* : au nom de Dieu.

54

pas tardé à brûler sous les allées et venues de son gant de crin. Elle m'a aspergée d'eau tiède, m'a couverte de ghassoul[1] et a commencé à me masser. Ses mains ont couru sur mon cou et mes épaules, se sont approprié mon dos sur toute sa longueur. Elles ont soulevé mes seins au passage, les ont brièvement malaxés. C'était plus que plaisant. Etourdissant, faudrait-il dire.

Le ghassoul coulait sur ma poitrine et filait, brun et parfumé, vers mon nombril avec un chuintement de bulles crevées. Les bouts de mes seins ont gonflé mais Neggafa n'a pas semblé le remarquer. Elle m'a demandé ensuite de me coucher sur le ventre, a dégagé mes fesses. Mon pubis cognait contre le marbre sous la pression de ses mains indifférentes à mon trouble. J'ai senti une boule de feu cascader du bas de mon estomac jusqu'à l'entrecuisse et j'ai paniqué. Mais Neggafa avait la tête ailleurs. J'étais sa volaille à déplumer, sa marmite à couscous. Elle m'astiquait et me briquait pour mériter son salaire. Un seau d'eau froide m'a brutalement sortie d'une rêverie au plaisir peu avouable.

Après les trois bains rituels du hammam a sonné l'heure de l'épilation. Là, j'ai cru mourir. J'ai eu la peau écorchée de la nuque aux fesses mais le rite du henné m'a vite fait oublier mes misères. Voir les vierges s'appliquer une boule du henné de la mariée au milieu de la paume dans l'espoir de convoler au plus tôt m'a fait penser aux agneaux qui se ruent vers l'abattoir, la queue grasse et le bêlement naïf. Mais j'étais moi aussi un agneau qui tendait docilement mains et pieds à Neggafa, en attendant de me faire égorger. Mes mains enveloppées de coton et emmaillotées dans des gants de satin me semblaient coupées. Leur sainteté était tellement dérisoire. La nuit, je

---

1. *Ghassoul* : shampooing à base d'argile.

rêvais des mains de Neggafa et priais pour que celles de Hmed aient au moins la même douceur. Et un peu plus de hardiesse.

J'ai appris à aimer Tanger, moitié arabe, moitié européen, retors et calculateur, chantant et bien-pensant. J'ai adoré les étoffes exposées dans les vitrines des bazars et ne me suis jamais lassée de voir Carmen, l'Espagnole, couper, tailler et ajuster les robes, la bouche pleine d'épingles, les varices noueuses et raides comme des cordes. La couturière de ma tante était du genre taciturne. Parfois, à l'heure du café, elle parlait de son fils, Ramiro, parti chercher fortune à Barcelone, et de sa fille, Olga, qui s'apprêtait à convoler avec un musulman. Son arabe, mâtiné de patois catalan, m'intriguait. J'ai compris, tout de même, que Carmen redoutait de devoir quitter son pays de naissance et de mourir exilée en Catalogne. Elle n'eut pas à subir cet outrage, vécut longtemps entre son appartement du boulevard, dans la ville moderne, et le populeux Petit Socco où sa fille avait choisi d'habiter. C'est son gendre musulman qui a payé son enterrement dans le carré chrétien.

Nous sortions, ma tante et moi, en haïk et elle mettait la khama [1] à l'algérienne, par coquetterie : « Laisse

1. *Khama* : morceau de tissu qui, comme l'*ajar*, cache la partie inférieure du visage.

les bécasses se dévoiler ! me conseillait-elle. Elles ne savent pas qu'elles finiront par tuer leurs hommes à force de les priver de mystère. » Dans la rue, les hommes se retournaient souvent sur notre passage, louant le Dieu qui a fait les femmes si belles, le rouge des œillets si ardent et le pistou si frais au goût comme à l'odeur. Chaque compliment me laissait dans la bouche et dans le creux des reins une saveur acide.

La mode était à la minijupe et les étudiants portaient les cheveux longs. La vieille radio à ampoules déversait les chansons d'Ouarda et de Doukkali. Moi, je raffolais des chroniques vespérales de Bzou qui faisaient rire tout le pays, jusqu'à la plus éloignée de ses bourgades. A Imchouk aussi, assurément. Tante Selma m'a annoncé un jour le remariage de Hmed. Il m'avait donc répudiée.

— Ne te réjouis pas trop vite, me prévint-elle. Ali, ton frère, ne décolère pas. Il a juré de laver l'honneur de la famille en répandant le tien sur les pavés de Tanger.

— Parce qu'il sait maintenant ce qu'est l'honneur ? Que n'a-t-il pensé à celui de l'innocente qu'il a dépucelée sous les yeux de Sidi Brahim !

— L'honneur des oulaya ne vaut pas une outre de goudron, tu le sais bien. Et toi, tu ferais mieux de prendre sa menace au sérieux.

J'ai essayé mais je n'ai pas réussi à me faire peur. Par la faute de Tanger. La ville m'avait inoculé un délicieux poison et je buvais goulûment son air, sa blancheur, ses minarets en pierre de taille et ses auvents. Dans ses patios piaillaient les femmes et les étourneaux. Leur babillage endormait la méfiance des hommes. Dans cette ville, chaque geste avait son élégance, chaque détail son importance. Et les mots, enrobés de politesse sucrée, pouvaient devenir coupants comme des tessons. Même le scandale s'y déplace à pas feutrés, vite éventé, vite étouffé, ses traces à peine audibles et presque jamais visibles. Tanger me montait à la tête et j'adorais ses bulles.

Tante Selma surveillait ma métamorphose du coin de l'œil, amusée mais déterminée à m'éviter les glissades et les culbutes. Plus tard, j'ai compris qu'elle m'avait livré Sadeq en pâture pour m'occuper l'esprit et gagner quelques mois de répit avant que le volcan ne s'éveille. Car elle savait que j'allais un jour ou l'autre me mettre à cracher la lave et s'y était préparée. Comme elle savait qu'Imchouk est lestée d'un volcan endormi, en réserve, lui affirmait Slimane, pour le grand carnaval.

Je n'ai pas été vraiment étonnée le jour où je l'ai vue accueillir Latifa, une orpheline du voisinage, enceinte de trois mois. Les solidarités féminines s'étaient organisées pour soustraire la jeune fille aux regards inquisiteurs des mégères, mouchardes et colporteuses de ragots, et lui offrir un refuge jusqu'à ce qu'elle soit délivrée. Je me souviendrai toujours de la petite brunette qui a discrètement partagé notre vie de femmes, libres à l'intérieur, réservées en public, et qui passait souvent des rires aux larmes sans crier gare. Elle aidait au ménage et passait les après-midi à broder des kilomètres de soie et de lin, recevant, reconnaissante, l'argent de la vente des tissus des mains de Tante Selma, maternelle et amie. Elle a accouché un soir de décembre, aidée par la sage-femme du quartier prévenue dès l'après-midi des premières douleurs. Le bébé a été reçu avec un youyou discret qui a dû faire plaisir aux dalles froides de la cour et au citronnier endormi. Lavé, oint et parfumé, il a dormi trois pleines nuits contre le sein de sa mère avant qu'un couple de Riffi[1] cousins et stériles l'adoptent, et qu'il devienne plus

1. Riffi : originaire du Rif.

tard un des principaux banquiers de la ville. Tanger n'y a vu que du feu et Latifa a pu se marier à un modeste garçon de café. Tante Selma s'est arrangée pour que la jeune femme saigne abondamment la nuit de ses noces et n'a cessé de bénir le Dieu qui a fait les hommes aveugles afin que les femmes puissent survivre à leurs cruautés.

Mon frère Ali

Souad n'a pas eu la chance de Latifa. Et mon frère Ali n'est qu'un mulet portant culottes. Gâté, pourri, il n'a jamais fait d'études et a passé son temps à parader sous la fenêtre des notables, dans l'espoir d'accrocher le regard d'une dinde aisée que séduiraient sa mèche gominée et ses pectoraux taillés dans le granit. Souad, la fille du directeur de l'école, est tombée dans le piège, tête la première, et lui a cédé dans le mausolée de Sidi Brahim, lors de la fête annuelle du saint homme. La famille ne l'a su qu'un an plus tard. Je venais de quitter le collège et Hmed se préparait à demander ma main.

Un jour, Ali est venu trouver ma mère derrière le métier à tisser. Elle a bondi, comme mordue par un serpent. Hagarde, elle s'est mise à s'écorcher méthodiquement les joues, des tempes jusqu'au menton. Elle a pleuré longtemps, silencieusement. Ses larmes étaient la bruine d'une catastrophe sans nom.

Un mois après, la fille du directeur passait notre porte. Elle avait l'âge de mon frère : seize ans. Elle était enceinte. Il a fallu avaler le couteau du scandale, maculé de sang, et les marier au plus tôt.

Tout s'est fait à la va-vite et cela a pris l'allure d'une débâcle retentissante. Le soir venu, quelqu'un a jeté les affaires de l'adolescente devant notre porte avant de disparaître dans la nuit. Souad est venue au-devant du clan avec trois draps, deux taies d'oreiller et la moitié d'un carton de vaisselle pour dot. Ma mère lui en a voulu à tout jamais. « On me l'a imposée et ça, je ne le lui pardonnerai pas », ressassait-elle à ses filles et voisines, oubliant que ce « on » avait pour nom Ali, son fils, et que Souad n'était qu'une gamine.

Souad a compris son malheur dès la première nuit passée sous notre toit. Elle en a perdu le sourire, puis la parole. En silence, elle aidait ma mère à faire le ménage et à nourrir la maisonnée. On voyait à ses mains blanches et à son dos prématurément voûté qu'elle était habituée à se faire servir plutôt qu'à servir. Ali et elle se croisaient sans se voir, sans se parler. Elle lui mettait son couvert, déposait une serviette et un pichet d'eau sur la table basse, puis se retirait dans la cour ou dans la cuisine. Elle dormait dans un réduit, pauvre pestiférée couverte de crachats et encerclée par la haine.

Son ventre s'arrondissait et Souad restait concentrée sur son nombril, le regard hébété. Elle a accouché d'un garçon, Mahmoud, a eu des fièvres et des hémorragies, et a préféré mourir au bout de quarante jours.

Ali n'a jamais osé prendre son enfant dans ses bras ni l'embrasser. Malgré les épousailles hâtives et l'acte de mariage dûment estampillé halal[1], son fils restait un bâtard, conçu hors bénédiction de la tribu.

Le deuil passé, ma mère a imposé à Ali l'une des cousines comme épouse :

— Seule une femme de ton sang pourra effacer ta honte et oublier tes erreurs passées, a-t-elle décrété, cassante, hiératique et visiblement heureuse de s'être débarrassée de l'intruse.

1. *Halal* : licite.

Non, elle n'en voulait pas à Ali.

Ali s'est exécuté, amoureux de sa mère et serviteur de ses moindres désirs, les plus généreux comme les plus sordides. Puis il a commencé à ressembler physiquement à mon père, taciturne et effacé, humble et satisfait. Il a rejoint l'atelier familial, aidé son aîné à le renflouer, a porté calotte de laine et qamis gris. Sa barbe a poussé et ses muscles se sont atrophiés. Il est redevenu poussière.

Comme sa mère, Mahmoud n'a jamais réussi à se faire accepter par la tribu paternelle et a fugué dès l'âge de douze ans. On le dit installé de l'autre côté de la frontière, à Malaga.

Bien que ne manquant de rien, je sentais que l'argent se faisait rare et me demandais comment Tante Selma arrivait à boucler ses semaines. C'était une brodeuse hors pair mais la clientèle diminuait en cette fin des années soixante et les trousseaux des jeunes filles se constituaient désormais de pièces modernes, importées d'Europe ou achetées sur place, dans les boutiques de mode. Si Tante Selma ne s'est jamais plainte de m'avoir à charge, moi j'étais gênée de ne pouvoir contribuer aux dépenses de la maison. Elle l'a deviné et m'a lancé un matin, alors qu'on épluchait les légumes pour le repas du soir : « Dieu pourvoit aux besoins des oiseaux et des vers qui vivent au sein de la roche ! Que dire des humains qui Le blasphèment à longueur de journée ? Il paraît que c'est la crise. Moi, je prétends qu'il faut faire comme nos frères algériens. Tout collectiviser ! Oui, j'ai entendu ça à la radio. Houari Boumediene a réquisitionné terres et bétail pour les redistribuer équitablement. Si les gens ne veulent pas partager, il faut les pendre par leur langue qui ne prononce jamais assez *al hamdou lillah* [1] ! »

J'ai bientôt découvert que ma tante, qui n'était pas

---

1. *Al hamdou lillah* : louange à Dieu.

à une contradiction près, ne se contentait pas seulement d'être invitée dans les soirées des bourgeois tanjaouis [1]. Elle préparait aussi les menus arrêtés par les maîtresses de maison, dirigeait l'équipe des servantes, surveillait les marmites de hrira [2] et les plateaux de tajines, veillait aussi au bon dosage des machroubat [3] parfumés. Elle a pris l'habitude de m'emmener comme gâte-sauce, me recommandant d'ouvrir les yeux, d'apprendre à vivre et à me tenir en société. Car une fois les mets à point, nous nous changions, elle et moi, et nous mêlions à la bonne société, les gens appréciant l'humour corrosif de Tante Selma et ses audaces de langage qui ridiculisaient les pimbêches. Tout le monde savait qu'elle était d'une famille bourgeoise, ruinée par les querelles d'héritiers et la rivalité des belles-sœurs. Elle était une des leurs, quoique légèrement déclassée.

Non, je n'ai jamais été à l'aise dans ces fêtes. Je choisissais toujours un coin et m'y tenais raide, les nerfs à fleur de peau, tâchant de me faire oublier, trop timide pour parler, trop fière pour manger chez des inconnus. J'observais Tante Selma qui circulait entre les convives, complimentant l'un, chuchotant une confidence à l'oreille de l'autre, sa main soulevant élégamment le bas de son caftan richement brodé, un sourire radieux aux lèvres. Son séjour à Imchouk n'avait gâté ni ses dents ni ses manières. Elle n'en avait rapporté, hélas, que le « Tfou » rageur de Bornia, n'ayant pas eu le cœur de déplumer son mari pour se prémunir des vicissitudes de la vieillesse.

---

1. Tanjaouis : tangérois.
2. *Hrira* : soupe à base de viande, de lentilles et de pois chiches.
3. *Machroubat* : boissons fraîches.

Oncle Slimane et Tante Selma

Le deuxième grand scandale familial est arrivé, lui, par Oncle Slimane. Marié à deux femmes, il était l'objet d'une double et ardente passion qui unissait ses deux épouses au lieu de les dresser l'une contre l'autre. Pourtant, il n'était ni beau ni puissant, et sa bijouterie lui permettait juste de vivre à l'aise, sans être abusivement riche. Il était trapu, pourvu d'une petite tête, affublé d'un nez disproportionné et de cheveux si rêches que Selma lui demandait parfois en riant de lui en prêter une touffe pour récurer ses casseroles. Mais Oncle Slimane abritait un membre impressionnant dans son saroual et les femmes en parlaient entre elles, l'œil allumé et le sourire en coin. Tante Selma ne se privait pas du plaisir de vanter les qualités d'amant hors pair de son époux, décrivant leurs ébats dans le détail à Bornia, la simplette, qui les rapportait, édulcorés, aux frustrées d'Im-chouk contre une livre de viande ou une mesure de farine. « Il la caresse sur tout le corps. Il lui lèche le sexe, y met la langue et lui titille le bouton longuement avant d'y introduire sa massue. Selma se fait embrocher tous les soirs, de la prière du crépuscule jusqu'à celle de l'aube. Ça, c'est un homme ! Pas comme ces limaces que vous gavez de couscous à l'agneau et de petit-lait couronné de beurre frais. Tfou ! »

Tant que Selma s'est crue propriétaire exclusive du membre de son mari, sa coépouse Taos n'étant pas très portée sur la « chose » — affirmait-on —, tout est allé pour le mieux dans son ménage. Mais le jour où elle a su qu'Oncle Slimane rendait visite aux hajjalat, elle s'est transformée en tigresse enragée. La guerre déclarée, Taos a pris son parti : « Plus jamais dans nos lits ! » ont-elles décrété toutes les deux, courroucées et alliées convaincues. Ma mère ne savait quoi dire, partagée entre l'envie de rire et la crainte que cette grève ne fasse le tour du chef-lieu et que les métayers n'en rient le soir dans leurs gourbis, à l'heure où ils chevauchent leurs femmes. Tante Selma n'avait pas, elle, le cœur à rire.

Quant au village, il a pris fait et cause pour les épouses légitimes de Slimane contre les putains d'Imchouk, Farha et ses deux filles. Seuls les adultes savaient que la foudre était tombée par la faute d'une verge vagabonde. Les femmes faisaient grise mine à leurs hommes et un vent hostile se levait, barrant la route des entrecuisses épilés aux bites éplorées.

Selma et Taos ont tenu parole. Oncle Slimane s'est heurté à deux portes closes au lieu d'une et s'est résigné à dormir dans le patio. Son calvaire a duré une semaine. Il a tempêté, menacé les grévistes de double répudiation et a fini par céder, pleurnichant son repentir et jurant sur la tombe de son père de ne plus jamais recommencer.

Mais la faille était béante et Tante Selma meurtrie. « Ce n'est pas l'épouse que Slimane a cocufiée mais l'amante, la femme qui l'aime et qui a tout quitté pour lui », dit-elle à Bornia, venue carder la laine quelques jours après la tonte. La simplette lui a répliqué, sardonique et scandaleusement familière : « Dis plutôt que c'est ton cul qui le pleure ! » Piquée au vif, Tante Selma lui envoya à la tête une louche qui lui entailla profondément l'arête du nez. Bornia est partie en couinant, lui faisant un bras d'honneur.

Selma a commencé à reparler de Tanger, de sa vie douillette, de ses bazars, de ses toilettes, a traité Imchouk d'égout à rats et augmenté la quantité de sel dans ses ragoûts, privant Slimane de ses talents de cuisinière après ceux de l'amante. Un jour, elle a mis son haïk, traversé le patio en talons aiguilles et claqué la porte sans accorder un regard à Slimane qui pleurait, recroquevillé sous le grenadier. La veille, elle s'était dénudé la poitrine et avait avoué à ma mère, un peu théâtrale mais réellement grande dame : « C'est là qu'il m'a fait mal ! C'est par là que je saigne ! » J'avais cru voir un champ de blé brûler en plein mois de mai.

Ce n'est pas Tante Selma qui m'a présenté Driss mais un compositeur dont j'ai appris le nom plus tard, Rimski-Korsakov. Celui qui allait devenir mon maître et mon bourreau était un brillant cardiologue récemment rentré de Paris, à la trentaine nerveuse et raffinée. Il n'aurait jamais retenu mon attention si une ingénue libertine nommée Aïcha ne s'était mise au piano, lors d'une soirée qui s'est déroulée chez une riche famille du Marshan[1], et n'avait joué *Schéhérazade*, de mémoire, disait-elle. Je n'avais jamais vu quelqu'un jouer du piano — une grosse caisse qui occupait le quart du salon — et connaissais encore moins les noms de symphonies. Mais il était dit que j'allais faire mon apprentissage de l'art dans ces milieux qui se piquaient de culture, française de préférence.

Enfoncé dans son canapé, entouré de ces dames moitié aristocrates, moitié courtisanes, Driss distillait des blagues osées qui les faisaient pouffer de rire, faussement outragées. D'autres dandys fumaient debout, qui une rose, qui un œillet fichés à la boutonnière, moustaches effilées et recourbées à l'ottomane, les

1. Marshan : quartier de Tanger.

reins cambrés. Certains avaient la taille épaisse, les doigts boudinés et poilus. Beaucoup fumaient le cigare.

Entre deux tournées de pâtisseries fines, Tante Selma, qui faisait circuler les plateaux, avait une œillade ou une caresse discrète pour l'un ou l'autre des convives. Elle me glissait, chaque fois qu'elle me frôlait de son cafetan couleur lie de vin, qu'Untel était l'héritier d'immenses domaines dans le Rif, tel autre, le descendant d'une grande famille du Makhzen.

Tous n'étaient pas andalous ou chorfa[1], ni tangérois de souche. Je poussai, à l'un de ses passages, un gémissement d'impatience. Cela la fit rire : « Ouvre les yeux et les oreilles, me chuchota-t-elle, câline. Cela t'évitera de mourir idiote. Et qui sait, peut-être que je te marierai bientôt à l'une de ces outres remplies de fric », ajouta-t-elle, sévère et sérieuse. Je n'étais pas sûre de ma jupe à volants ni de mes chaussures. La plupart des femmes avaient troqué babouches et tenue traditionnelle contre escarpins et robes serrées en haut, évasées en bas, dont le tissu me semblait riche et rêche à la fois. Toutes ondulaient de la croupe. Moi, je me sentais un peu gourde, très paysanne et je m'en voulais. Mal à l'aise, je transpirais du haut du dos jusqu'au fond de ma culotte sage.

Driss a forcé ma porte au cours de l'une de ces soirées. J'étais dans la cuisine à lamper une grenadine et à m'éventer, m'essuyant le cou et la poitrine avec une serviette de table, quand il y a fait irruption. Il a marqué un temps d'arrêt et murmuré : « Mon Dieu, quel bijou ! » quand il m'a vue figée comme un lapin sous les phares de son regard.

— Excuse-moi ! je suis venu chercher des glaçons. Je ne voulais pas t'effrayer.

1. *Chorfa* : descendants du Prophète considérés comme nobles.

— Mais...

Il a ouvert le réfrigérateur, tiré un plateau du congélateur et commencé à en déloger les cubes de glace :

— Sais-tu où la maîtresse de maison range ses bols ?

— Non... je suis une étrangère !

Il s'est retourné, partant d'un grand rire :

— Moi aussi, je suis un étranger. Tu as un nom, j'espère ?

— Badra.

— Ah, la lune ! Elle donne des hallucinations et des migraines !

Il s'est planté devant moi, son bol de porcelaine rempli de glaçons entre les mains :

— Ma mère m'interdisait de dormir exposé à la pleine lune. Comme j'adorais lui désobéir, elle était obligée, une fois par mois, de me couvrir le crâne d'une purée de courgettes et de recueillir mon vomi dans une cuvette, au pied du lit. C'est un remède qui n'appartenait qu'à elle. En tout cas, c'est beau de faire souffrir quelqu'un aussi ponctuellement !

Personne ne m'avait sorti avant Driss une telle énormité sur les chères mamans.

Il s'est avancé vers moi et je me suis collée, terrorisée, au mur :

— Je te fais peur ? Avec le nom que tu portes, c'est moi qui devrais fuir !

Il est parti vers le salon immense, éclairé de lustres lourds comme le péché, royaux comme le Versailles que je verrai plus tard, sans Driss, devançant de deux pas mon amant du jour, Malik, dix ans plus jeune que moi.

Tante Selma m'a découverte au même endroit, dans la cuisine, pétrifiée et livide, cinq minutes après.

— Mais qu'est-ce qui t'arrive ? On dirait que tu as vu Azraël, l'Ange de la mort !

— Non, ce n'est rien. Il fait trop chaud ici !

— Eh bien, va faire un tour dans le riad[1]. Toi qui adores les fleurs et les senteurs, tu vas être comblée.

Je l'ai été. De ma vie je n'avais vu un tel luxe de plantes, une telle débauche de fleurs. Toutes les odeurs s'exhalaient, riches et solitaires, fraternellement unies à d'autres dont je ne pouvais identifier le nom ni l'exacte texture. C'était des plantes de ville comme il n'en poussait pas à la campagne, destinées à plaire aux yeux alors que celles de chez moi n'avaient de valeur que par la consommation que nous pouvions en faire, les broutant parfois à même les champs comme des brebis. Je tombai en extase devant une haie où des roses blanches semblaient sur le point de s'embraser, penchées sur un parterre de menthe sauvage et de sauge. Je me dis que le jardinier devait être bien fou pour avoir allié tant de contrastes.

Bien sûr, c'est là que Driss m'a débusquée. C'est là qu'il a pris mes mains glacées entre les siennes. C'est là qu'il m'a embrassé le bout des doigts. Je tremblais sous la rosée de l'heure tardive, yeux écarquillés et tête fiévreuse, quand lui retournait mes mains pour en baiser la paume, silencieusement. Pour la première fois de ma vie, je tenais une fortune entre les mains : la tête d'un homme. Il ne disait rien et ses lèvres étaient à la fois tendres, chaudes et légères. Sans une goutte de lubricité. Tout était parfait : le ciel au-dessus de nos têtes, le silence immense comme un utérus protecteur, le souffle retenu de la nuit. Pourquoi m'avait-il fait cela ?

Bien sûr, j'ai eu envie de pleurer. Bien sûr, je me le suis interdit.

Il a relevé la tête, gardé trente secondes mes doigts, puis s'en est allé dans son costume blanc, ses pas crissant sur le gravier d'une allée aussi longue que ma vie

1. *Riad* : jardin.

qui n'était qu'à son début. Quand il a franchi le seuil de la grande baie vitrée du salon, je me suis mise à vieillir. Inexorablement.

Je suis restée longtemps dans le jardin. Seule. Sans corps. Sans mari. Sans enfants. J'ai entendu Rimski-Korsakov reprendre sa partition, sombre et sucrée, sous les doigts de Driss. C'est Tante Selma qui me l'a raconté plus tard, quand nous sommes rentrées et que nous nous sommes retrouvées seules comme deux veuves. Enfin, c'est moi qui me faisais cette impression. Elle, elle s'est empressée d'expédier mes questions en me disant que veiller n'était jamais bon pour le teint.

Driss m'apprit, longtemps après, l'existence de Rimski-Korsakov et mit un nom sur les notes que Tanger m'avait livrées, distrait, entre deux portes. Je venais de rencontrer l'homme qui allait fendre mon ciel en deux et m'offrir mon propre corps en cadeau, tel un quartier d'orange. Celui qui m'avait « visitée » enfant, Driss, m'était revenu. Driss s'était réincarné.

L'enfance de Badra

Je l'ai rencontré toute petite, près du pont qui enjambe l'oued Harrath, une nuit silencieuse et sans étoiles. Je venais à peine de m'y engager lorsqu'une main m'a agrippé l'épaule. L'obscurité était épaisse et l'oued exhalait ses vapeurs, coulée d'eau chaude dans un paysage minéral et glacé. Même les pierres semblaient avoir cessé de respirer. Je me suis dit : « Voilà, ça y est. Tu vas enfin voir le grand Efrit aux pieds fourchus. Il va boire ton âme et te jeter dans l'oued. Ta mère ne criera plus ton nom et ne verra plus jamais ton corps. » Mais la main m'a lâché l'épaule, m'a caressé la gorge avant de me presser tendrement les seins. Mes « fèves », comme on appelle à Imchouk les seins naissants, n'ont pas dû la satisfaire car elle me tripota un instant les fesses avant de claquer l'élastique de ma culotte de gamine. Elle s'est ensuite plaquée à mon sexe, glabre et fermé.

Des doigts fiévreux se sont promenés dans le sillon du milieu et leur toucher était plutôt amical. J'ai fermé les yeux, confiante et consentante. Un doigt s'est détaché et s'est hasardé en un point inconnu. J'ai senti une légère brûlure mais, au lieu de serrer les cuisses, je les ai plutôt écartées. J'ai cru entendre l'oued soupirer puis éclater de rire.

La main s'est ensuite retirée et je me suis affaissée sur l'herbe vitrifiée. Le ciel a recommencé à scintiller et les grenouilles ont repris leur concert. Un deuxième cœur m'était né entre les jambes et il battait, après cent ans d'hébétude.

— Tu soutiens, donc, que je te suis apparu ce soir-là à Imchouk, près de l'oued, et que j'ai réveillé ton jardin secret en deux temps, trois caresses ? a conclu Driss, la tête posée sur mon nombril, ses mains se promenant le long de mes cuisses, un siècle après l'Annonciation. Après tout, pourquoi pas ? Chacun reçoit, un jour ou l'autre, un signe qui le renseigne sur son destin. Mais suis-je vraiment le tien, mon tendre abricot ? Ibliss, le menteur, adore brouiller les pistes et travestir les vérités.

C'est drôle que Driss ait parlé ce jour-là de Satan en commentaire à ma confidence. J'avais beau savoir qu'il me taquinait, un léger malaise m'a barbouillé le moral. J'avais vécu un instant de lumière. Et si le messager de mon enfance n'était pas un ange, ce n'était certainement pas un démon. Ou alors, ni l'un ni l'autre, mais juste un homme. Le mien.

Depuis quelques mois, une digue s'était rompue dans ma tête et ma colère enflait tel un raz de marée. J'en voulais à Imchouk qui avait associé mon sexe au Mal, m'avait interdit de courir, de grimper aux arbres ou de m'asseoir les jambes écartées. J'en voulais à ces mères qui surveillent les filles, vérifient leur démarche, palpent leur bas-ventre et épient le bruit qu'elles font quand elles pissent pour être sûres que leur hymen est intact. J'en voulais à ma mère qui avait failli me blinder le sexe et m'avait mariée à Hmed. J'en voulais aux corbeaux, aux crapauds et aux chiens bouffeurs de charogne. Je m'en voulais d'avoir quitté le collège pour un mari et de n'avoir rien dit quand la Neggafa m'avait fourré le doigt au con, histoire de vérifier que j'étais une vraie bécasse qui acceptait de mourir trop tôt.

Et puis voilà. Je me disais que je n'étais pas un cafard. Que je voulais fermer les yeux, m'endormir, mourir, et ressusciter avec tambour et trompettes, avoir Driss entre les bras. Depuis l'Annonciation qui m'a été faite au bord de l'oued, je savais ce que je voulais : regarder le soleil sans ciller, quitte à en perdre la vue. J'avais mon soleil entre les jambes. Comment ai-je pu l'oublier ?

L'amande de Badra

De retour à la maison, j'ai mis la tête sous les couvertures, tiré ma culotte et regardé le petit triangle, lisse et rond, qui a reçu l'hommage d'une main inconnue mais que je savais aimante. J'ai refait son parcours d'un index rêveur. Paupières closes et narines palpitantes, j'ai juré d'avoir un jour le plus beau sexe du monde et d'imposer sa loi aux hommes et aux astres, sans pitié ni répit. Simplement, je ne savais pas à quoi pouvait ressembler un tel objet une fois arrivé à maturité. J'ai eu brusquement peur que l'une des femmes d'Imchouk n'en ait un aussi beau, capable de rivaliser avec le mien et de réduire mes serments en cendres. Je voulais être sûre que, de sexe, le monde n'aurait que le mien à adorer.

J'ai décidé de surveiller les femmes, de guetter une apparition de leur bijou intime pour savoir quel modèle pouvait concurrencer le mien en beauté et en puissance. Il ne m'a pas été facile de le débusquer. Ma mère ni ma sœur ne se dévêtaient jamais devant moi. Et, bien qu'il m'arrivât de trouver des traces de sucre caramélisé sur le sol ou l'évier, je n'ai jamais surpris maman en train de s'épiler. Au hammam, les femmes s'entourent d'un large pagne ou gardent leur saroual et, lorsqu'elles s'apprêtent à se rincer, elles se cachent derrière une porte et ne sortent que couvertes de leurs serviettes, drapées et luisantes comme des statues. Les femmes ne se dénudent jamais devant les petites filles de peur de leur ravir définitivement l'innocence de leur regard et de compromettre leur destin de future mariée.

L'été m'a permis d'assouvir quelques-unes de mes curiosités. Les paysannes avaient envahi les patios et les terrasses, aidant les nantis à emmagasiner couscous, piments, tomates, carvi et coriandre en prévision de l'hiver. A cette main-d'œuvre besogneuse et docile se mêlaient les femmes nomades, aux regards perçants et aux patois râpeux, liseuses de marc de café et vendeuses d'amulettes. Les mendiantes se contentaient, elles, de toquer à la porte et de tendre la main, sûres de recevoir une mesure de blé ou un quartier de mouton séché.

Je passais le plus clair de mes après-midi chez Tante Selma et sa coépouse Taos, sur la rive ouest du village. Les flammes du four à pain crépitaient à longueur de journée. Poivrons, bâtons de maïs et benjoin grillaient dans le brasero. L'abondance rassurait les cœurs et leur donnait envie d'offrir leur richesse sans compter.

La maison courait sur deux étages, constitué chacun de quatre pièces. Selma passait de l'un à l'autre sous le regard doux et complice de Taos. Ce n'était un secret pour personne que celle-ci était attachée à la Tangéroise autant que l'était Slimane. C'est elle qui est allée pour la première fois de sa vie en ville demander la main de sa rivale pour son mari. « Tu es folle ! se sont exclamées ses parentes et voisines. Elle est plus jeune que toi et c'est une citadine. Tu vas introduire dans ta maison une vipère qui ne va pas manquer de te mordre. — Je sais ce qui convient à mon foyer », s'est contentée de répondre Taos. C'est ainsi que, contrairement à tous les usages, le père de Selma n'eut pas affaire aux frères et oncles de Slimane, mais à Taos qui formula la demande en mariage, plantée derrière un rideau par respect des convenances.

Une fois par semaine, les Espagnoles frappaient à la porte des deux épouses complices dans le froufrou sévère de leurs jupes noires à falbalas et le craquement de leurs paniers en osier, pleins de soieries et de menus articles en argent et dentelle. Les paysannes arrivaient à leur suite, tête et pieds nus, curieuses et fouineuses. Contrairement aux femmes aisées, elles étaient autorisées à se dévoiler sans encourir le moindre blâme.

Voir le patio plein à craquer, les femmes rire entre elles et les ouvrières occupées aux grands travaux de l'été est un moment de pur bonheur. Je n'oubliais pas mon serment de tout scruter pour mieux savoir. Mais les cardeuses de laine gardaient obstinément les jambes croisées. Les laveuses de couvertures aux robes retroussées découvraient juste leurs mollets et celles occupées à rembourrer les matelas soulevaient des croupes lourdes mais jalousement préservées des regards indiscrets.

Seules les paysannes qui roulaient les grains de couscous pouvaient m'aider à explorer leur secret car elles s'asseyaient les jambes grandes ouvertes autour d'immenses bassines en bois où elles mélangeaient l'eau et la semoule. Je faisais semblant d'observer le mouvement des mains et des tamis mais concentrais mon attention sur Bornia, la simplette. Sa corpulence l'obligeait à bouger sans cesse, raclant le sol de ses fesses et suant à grosses gouttes. La paysanne, connue pour son langage cru et ses gestes obscènes, soulevait toutes les deux minutes les pans de sa mélia et s'en éventait. Je guettais la révélation. Elle ne vint pas. Et Bornia me jeta, méchante comme la teigne : « Qu'est-ce que tu as à me reluquer ainsi ? Allez, ouste, va jouer ailleurs. Sinon, je vais te montrer l'enfer. »

Bornia ne savait pas que c'était justement ce que je voulais. Voir son sexe adulte pour pouvoir comparer. J'ai détalé sans demander mon reste.

Comme il était interdit aux petites filles d'assister aux conversations des femmes, j'ai appris à me confondre avec les objets et à me faire oublier. Je voyais les compères de Tante Selma et servantes chuchoter, puis s'esclaffer, se pencher les unes sur les autres, se palper les seins ou le ventre, comparer leurs bijoux et tatouages. Bornia était parfois inspirée. Elle se levait et esquissait quelques mouvements de bassin qui déclenchaient l'hystérie de l'assemblée. Il arrivait que la femme d'Aziz le berger prenne le relais. Armée d'une carotte, elle se fichait l'imposante tige entre les cuisses et esquissait une danse paillarde, agitant la carotte de haut en bas et de droite à gauche, avec des déhanchements franchement lubriques. Mères et épouses riaient, se tapaient les cuisses ou la poitrine, se voilaient la bouche ou les yeux, scandalisées.

— Arrête ! Tu vas finir par y croire si tu continues, hurlait une voisine.

— Laisse-la donc ! protestait une autre. Aziz doit en avoir une toute ratatinée. Elle se rattrape sur ce qui se présente !

La danseuse répondait, essoufflée :

— Ce n'est pas une carotte qu'il a, le mécréant, mais un manche à cognée. Lorsqu'il me pénètre, j'ai l'impression d'être embrochée par la corne du taureau.

— Quel taureau ?

— Celui qui porte la terre sur sa tête pour qu'elle ne s'effondre pas sur les vôtres, pécheresses !

L'assistance riait aux éclats.

— Et toi, Farida ? demandait Tante Selma.

La fille de l'imam répondait :

— Au repos, il est rebondi et luisant comme une

moitié de lune. Lorsqu'il se tend, c'est l'épée d'un guerrier de l'islam. Je n'y résiste que pour mieux exciter ses assauts.

— Est-ce qu'il te dit des choses à l'oreille ?

— Non, il hennit comme l'âne de Chouikh ! Parfois, je le crois devenu fou tant il râle à l'arrivée !

— Mais non ! ponctuait Selma, taquine. C'est ton trésor qui le rend fou.

— A propos, repartait la fille de l'imam, toi, la citadine, il faudra que tu nous donnes la recette. Comment faites-vous en ville pour garder à vos chattes leur blancheur d'ivoire ?

— Rien de plus simple, mais je ne te le dirai pas. Il faut être folle pour dévoiler ses sortilèges à une autre femme.

— Dis-moi au moins comment faire pour me rétrécir le vagin ? Kaddour prétend ne rien sentir quand il me prend, tant le vestibule est grand et le fond difficile à atteindre.

— Vous n'en saurez rien, bande de femelles en chaleur ! Je ne partage mes secrets qu'avec ma chère commère Taos !

Les yeux plissés par un sourire malicieux, Taos répondait :

— Faites comme elle ! Allez plus souvent au hammam ! Son secret, c'est l'eau. Il lui donne son teint de pêche et cette peau de Roumia[1] !

— C'est vrai, lâcha Tante Selma. L'eau est le premier parfum de la femme et sa meilleure crème de beauté. Après, et pour vous répondre, perfides, il faut veiller à garder votre sexe frais et lisse. Faites sa toilette avec un linge imbibé de lavande et parfumez ses alentours de musc ou d'ambre. Rien ne doit rebuter votre homme. Ni l'odeur ni le toucher. Il faut qu'il

1. *Roumia* : féminin de *Roumi*.

ait envie d'y planter les dents avant d'y fourrer autre chose.

— Il ne l'a jamais regardé, se plaignait la femme du cordonnier. Que dire de le mordre ou de l'embrasser !

— Heureusement, chuchotait la fille de l'imam. Il finirait aveugle, s'il le faisait !

— L'aveugle est celui qui tient la grâce de Dieu entre les mains sans savoir lui rendre hommage, tranchait Tante Selma.

De ces après-midi chauds et parfumés me restent le rire des femmes recluses et la nostalgie des moissons. Me manquent aussi les faits divers et les commérages. Quelle est la dernière répudiée du village ? Que sont devenus les deux épileptiques ? Qui a aujourd'hui la plus grosse queue et qui a été fait cocu par son berger ? Echange-t-on toujours des recettes pour vaincre la transpiration, guérir la mauvaise haleine, les pertes trop abondantes, les vagins trop secs ou trop humides, les poils du pubis qui poussent à l'envers et donnent des infections ? Imchouk aurait-il bradé ses secrets aux médecins et charlatans des villes ? S'est-il résigné à faire comme les autres, confiant ses piètres misères à la vilenie des tabloïds ? Je ne sais. Je ne lis pas les journaux de Tanger. Par respect pour Driss.

Nul sexe féminin et adulte n'a finalement daigné se dévoiler à mon enfance. Heureusement qu'il y avait les yeux de Moha, le potier, pour me consoler. Assis devant son échoppe, il me détaillait avec une franche gourmandise, chaque fois que je passais. J'avais beau presser le pas, respectant la consigne qui interdisait aux vierges d'Imchouk toute conversation avec le potier, ses regards fichés au bas de mes reins me donnaient des frissons et des désirs obscurs. Moha était porté sur les fillettes, en particulier celles qui ont, comme moi, un grain de beauté sur le menton.

Chouikh, le marchand de beignets, adorait m'embrasser à la saignée du genou. Dès qu'il me voyait, il quittait son comptoir, où fumait une grosse marmite d'huile bouillante, me soulevait au plafond et criait à l'adresse du premier passant : « Dieu nous préserve de cette petite lorsqu'elle sera grande. Elle va couler comme une fontaine de miel dans ce bled plein de ronces ! » avant de m'embrasser derrière le genou et de m'offrir deux sfinges[1] aussi blonds que sa mèche.

J'étais fière d'avoir deux courtisans dont les regards m'attiraient comme un aimant. Quelque chose

1. *Sfinge* : beignets.

me disait que je les tenais au creux de la main et que je pouvais en faire ce que je voulais. Mais quoi ? Mon pouvoir était forcément lié à ma bouche, à mon grain de beauté, à la forme de mes jambes et plus certainement encore à mon sexe. Pour s'en convaincre, il suffisait de voir mon père loucher sur la croupe de ma mère ou entendre Oncle Slimane supplier sa Lalla Selma de lui donner à mâcher la boule de gomme qu'elle avait parfumée de sa salive.

Je savais que dans mon sexe se nichait l'œil du cyclone. Mais je ne savais pas encore si j'étais une tempête de sable, de neige ou de grêle. J'avais juste peur de mourir sans avoir éclaté dans le ciel d'Imchouk.

Driss ne m'a ni violée ni violentée. Il a attendu que je vienne à lui, amoureuse, les pieds empêtrés dans mes cheveux, comme la Jazia hilalienne [1], vierge et neuve, sans espoir, sans mots. Il a attendu que je me livre à lui et je l'ai fait, contre tout bon sens. Contre les conseils de Tante Selma qui ne décolérait pas, ayant percé mon cœur à jour :

— Tu n'es qu'une idiote ! Driss est plein d'argent et adore les biches effarouchées de ton espèce. Et toi, tu ne trouves rien de mieux que d'en tomber amoureuse ! Mais il faut te marier, pauvre gourde. Où crois-tu vivre ? Tu es à Tanger, et ton père, que Dieu ait son âme, n'était qu'un pauvre tailleur de djellabas.

Je me contentai d'agiter l'éventail en osier et d'entretenir le feu du brasero sur lequel trônait un tajine au citron dont l'odeur embaumait la maison jusque ses moindres recoins. Je ne pouvais manquer de respect à Tante Selma, une dame qui s'entêtait à cuisiner sur du charbon de bois quand Tanger parlait déjà de cuisinières et en rapportait d'Espagne, épaté. Elle avait la réputation d'être un cordon-bleu et ses boulettes de

1. Héroïne de la geste hilalienne célèbre pour la longueur et l'opulence de ses cheveux.

viande, comme ses ragoûts aux poissons, faisaient saliver le Tout-Tanger. Plantée à ses côtés dans la cuisine sombre de la rue de la Vérité, je surveillais ses gestes et ses boîtes d'épices, rêvant de percer le secret de ses recettes. Je voulais cuisiner comme elle et faire pleurer Tanger d'extase, comme le chanteur Abdelwahab me fera pleurer, longtemps plus tard, sous la coupole du ciel, seule au milieu des champs, libre et lavée des désirs. Presque pacifiée.

Driss avait mené son enquête. Il savait que j'avais été mariée. Il ne m'en a pas touché mot et a mis six mois à me cueillir. Il m'a laissé le temps de fantasmer sur sa voix, ses mains et son odeur. Il m'a laissée mûrir tranquillement, pendant les longues siestes grenadines.

Nous nous sommes revus plusieurs fois dans les soirées mondaines, sans jamais nous toucher, sans jamais échanger plus d'un regard ou un bonjour neutre et distant. Il est venu vingt fois déjeuner chez ma tante. Pas un mot de travers ou un geste déplacé. Plus tard, j'ai compris que c'était la danse des serpents. Ni Driss ni Tante Selma ne se regardaient dans les yeux mais l'un et l'autre savaient qu'il y aurait mise à mort. Il me voulait. Elle, elle défendait mon entrée, cobra sacré dressant la garde devant mon corps qui me démangeait, mais que je connaissais si peu et qu'elle voulait monnayer convenablement pour m'assurer une vie confortable de rentière.

Je l'ai déçue et plus jamais elle n'a volé au secours de mes blessures femelles. Je sais aussi qu'elle m'a méprisée. Je lui ai donné raison, bien des années plus tard, quand plus personne ne songeait à demander pardon à ses propres larmes.

En ce temps-là, j'étais ailleurs. Dans l'amour et la mièvrerie. Je me mordais les lèvres pour les rendre plus rouges et je chantonnais des airs égyptiens pour me donner une contenance quand Driss s'annonçait.

Car chaque fois il prévenait ma tante de sa visite, par portefaix. Ce dernier arrivait généralement vers neuf heures du matin, chargé de deux lourds couffins remplis de fruits et légumes. J'y trouvais toujours un paquet de swak[1], du henné, de l'écorce de grenade et une fiole de khôl. Tard dans l'après-midi, quand Driss partait vers sa ville et ses rendez-vous, repu de tajine et de briouette[2], ma tante mélangeait à l'eau son henné dont l'odeur entêtante me donnait la migraine. Dans le grand patio, elle et ses hirondelles rentrées au bercail pépiaient à l'unisson, détachées du monde et désaltérées à je ne sais quelle source. Les oiseaux regagnaient leurs nids et leurs mâles. Ma tante, elle, se lavait, se massait, s'épilait, se gratifiait de motifs de henné, pour le moins coquins, en haut du sein gauche, par exemple, et de parfums secs, puis se retirait, seule et bizarre, dans sa grande chambre pleine de caisses cloutées et de miroirs mouchetés, sans me demander si je me sentais seule. Plus tard, je sus qu'elle avait un amant invisible. Un djinn de l'autre monde. Cela me rendit perplexe puis je lui concédai le droit d'être libre, sans jamais vouloir en savoir plus. Je voulais juste qu'elle soit heureuse.

1. *Swak* : écorce de noyer séchée utilisée pour nettoyer les dents et soigner les gencives.
2. *Briouette* : variété de gâteaux.

Driss m'a m'installée dans son salon, m'a offert des fraises et des bleuets. Il a ensuite fait couler un bain, m'a portée à bout de bras, puis assise toute vêtue dans la baignoire dont l'eau embaumait la fleur d'oranger. Chopin virevoltait entre les murs de la maison et j'entrevoyais à travers le col de sa chemise les poils noirs et drus de Driss.

Il m'a déchaussée, m'a caressé les orteils et la plante des pieds. J'étais glacée. Sa bouche et son souffle m'ont brûlé le cou, ont couru le long de mes jambes. Mes seins gonflaient et leurs pointes tendaient le tissu mouillé qui collait à ma peau, me rendant encore plus nue sous son regard. Il les a pressés, mordillés et ils ont doublé de volume sous ses dents. Je tremblais, effrayée comme un oiseau happé par la tornade, la matrice douloureuse de désir, le ventre contracté de terreur. Qu'allait-il me faire ? Qu'étais-je venue chercher ?

Il m'a déshabillée lentement, délicatement, comme on dégage une amande verte de sa peau tendre. Dans la buée de la salle de bains, je distinguais à peine ses traits. Seuls ses yeux me vrillaient, forant mon cœur et mon vagin, maîtres de mon destin. Je me suis dit que j'étais une pute. Mais je savais que je ne l'étais pas. Ou alors comme l'étaient les déesses païennes d'Imchouk, libres et fatales, folles à lier.

Il m'a savonné le dos et les reins, a couvert de mousse mon pubis. Les poils dérobaient mon intimité à son regard mais ses doigts ont vite entrepris de glisser sous le slip et d'ouvrir mes pétales, découvrant mon clitoris, dur comme un pois chiche, pour le presser d'un geste délicat et pensif. J'ai gémi, essayé de me débarrasser du slip mais il m'en a empêchée. Il m'a retournée, a enlacé mes cuisses et m'a fait cambrer le dos. Voilà, me suis-je dit. Tu es son jouet. Son objet. Il peut maintenant t'arracher la langue, t'éventrer le cœur ou t'asseoir sur le trône du royaume de Saba.

Baissant mon slip, il a collé la joue contre mes fesses, écarté la raie de ses doigts, y a promené son nez. J'étais devenue liquide. Il a ensuite pris une fiole sur l'une des étagères, en a recueilli une goutte d'huile et m'en a parfumé l'anus, le massant longuement, au point que j'en oubliai mes frayeurs, mes muscles se détendant au fur et à mesure que se précisait l'assaut de ses doigts savants. Je ne savais pas ce qu'il voulait me faire mais souhaitais qu'il le fasse. Qu'il n'arrête surtout pas l'affolant mouvement circulaire qui m'ouvrait à lui, mon vagin dégorgeant sa joie en de longs filaments translucides.

Il y est venu, a récolté ma mouille et m'en a badigeonné les fesses avant d'y planter les dents. Jamais morsure ne m'a été plus chère. J'ai entendu mon ventre rire, pleurer, puis entrer en ébullition. J'ai supplié : « Assez... Assez » tout en priant pour que Driss ne s'arrête pas.

Driss m'a ensuite emportée, ruisselante et gémissante, jusqu'au lit. Dès qu'il s'est penché pour m'y étendre, je l'ai tiré par le col, j'ai collé ma bouche à la sienne, tétant sa langue, faisant sauter les boutons de sa chemise, pour mordre son torse. Il riait, lumineux, serrant mes seins à pleines mains, suçant leurs bouts incandescents, un doigt se baladant à l'orée de mon entrée trempée. A bout de patience, je me suis débrouillée pour aspirer le visiteur hésitant. L'orgasme m'a jetée contre lui, haletante et profondément gênée.

Il ne m'a pas laissé le temps de reprendre souffle, a guidé mes mains vers sa braguette et m'a regardée la défaire. J'ai découvert, incrédule, un membre dépassant en force et en taille ceux que j'avais vus auparavant. Sa queue était brune et mûre, sa peau soyeuse et son gland imposant. J'y ai posé les lèvres, improvisant une caresse qui m'était jusque-là inconnue. Il m'a laissée faire, m'a regardée défaillir. Je l'avais dans la bouche et par la magie de ce seul contact, mon ventre était pris de contractions. Je ne savais quelle bête s'y agitait ni pourquoi cette queue me procurait tant de plaisir à aller et venir entre mes lèvres, se frottant à mon palais, heurtant doucement mes dents au passage. Driss demeurait debout, yeux fermés, son ventre plat m'emplissant de l'odeur ambrée de sa sueur et de sa peau.

Il s'est dégagé de ma bouche, a levé mes jambes. La tête a buté contre mon vagin. J'ai poussé pour l'aider à entrer mais une atroce brûlure a scié mon élan. Il est revenu à la charge, a tenté de s'immiscer, a cogné contre une étroitesse imprévue, a reculé, voulu forcer le passage. Je gémissais, non plus de plaisir mais de douleur, mouillée mais incapable de l'enfourner. Il m'a pris le visage entre les mains, m'a léché les lèvres, puis mordue en riant :

— Ma parole, mais tu es vierge !

— Je ne sais pas ce qui m'arrive.

— Il t'arrive ce qui arrive à une femme quand elle délaisse son corps trop longtemps.

Il a vu que j'avais mal, m'a caressé le dos, y semant des coups de langue et des morsures, a aspiré longuement mes nymphes. Pas un instant il n'a perdu sa raideur, sa queue battant fièrement contre mon ventre, mes fesses et mes jambes.

Ce n'est que lorsqu'il m'a calé le dos avec un coussin, qu'il a fiché son sexe à l'entrée de mon fruit, insistant pour s'y glisser centimètre après centimètre, qu'il a pu enfin me remplir, dilatant mes parois ruisselantes, massant ma matrice, me pilonnant en de longs mouvements tranquilles, sa sueur s'égouttant sur mes seins. Il a su m'ouvrir, me posséder, me dilater jusqu'à l'étouffement, défroissant mes poumons et les fibres infimes de mon ventre. Son sperme a fusé en de longs jets et a ruisselé, telle la pluie, contre mes muqueuses à vif, les lavant de la gangrène.

Longtemps, il est resté blotti contre moi et ce n'est que lorsqu'il a tâtonné à la recherche de son paquet de cigarettes que j'ai vu ses larmes.

Il n'a pas voulu que je me rhabille ni que je remette ma culotte mouillée, il s'est contenté de sourire en me voyant protéger de la paume des mains mon intimité. Je le sentais désarçonné, ému de mes pudeurs comme de mes maladresses. Il a murmuré, yeux mi-clos : « Ah, si tu te voyais ! » J'ai eu peur qu'il n'ait détesté un détail de mon corps. Il l'a deviné, m'a lié les bras derrière le dos, a bu ma bouche et mis la tête entre mes jambes. Je me suis dérobée, meurtrie de plaisir et de douleur. Ma seconde défloration m'avait rendu insupportable la moindre caresse.

— Ne rentre pas ce soir, Badra, mon chaton blessé, m'a-t-il demandé.

— Tante Selma ne va pas fermer l'œil de la nuit.

— Je m'occuperai d'elle demain. En attendant, regarde ce que j'ai pour toi.

Il a sorti de la poche intérieure de sa veste un écrin bleu nuit. Deux diamants y dormaient. Deux gouttes d'eau limpide. Je lui ai rendu l'écrin, ouvert.

— Que fais-tu ?

Je me suis tue, tourmentée par trop de sentiments contradictoires.

— Cela fait un mois qu'elles t'attendent. Je ne savais comment te les offrir sans t'offenser.

Il a pris mes mains entre les siennes, comme il l'avait fait le premier soir, les a effleurées d'un baiser.

— Je t'attends depuis si longtemps, Badra.

Je l'ai regardé, mourant d'envie de le croire, mais me méfiant de l'homme après avoir été comblée par le mâle.

— Tu es une houri, le sais-tu ? Seules les houris recouvrent leur virginité après chaque coït.

J'ai répliqué, la colère froide et presque sarcastique :

— Tu es comme les autres ! Tu veux être le premier !

— Mais je suis le premier ! Et je me fous des autres et de ce qu'ils veulent. Je te veux, toi, mon amande, mon papillon !

Il a accroché les gouttes d'eau à mes oreilles, caressé le lobe du bout de la langue. J'ai pris conscience, en un éclair, qu'il était totalement nu devant moi et que sa verge n'avait pas débandé. Pire : j'ai découvert que j'avais encore faim et soif de ses baisers et de son sperme.

Le désir est contagieux et Driss est plein d'astuce. Il m'a ouvert de force les jambes, a lissé mes chairs fripées, puis m'a appliqué un baume pour soulager mes irritations. Il a ensuite glissé son membre entre mes seins qu'il a comprimés, mi-sérieux, mi-badin.

— Chaque parcelle de ta peau est un nid d'amour et un puits d'extase, a-t-il dit.

J'ai rougi, me rappelant le pouvoir absolu dont il avait usé pour explorer mes moindres replis. Mais je n'ai pas réussi à me sentir coupable, diminuée ou outragée. Entre mes seins, sa verge allait et venait, butant en bout de course doucement contre mes lèvres. Quand il m'a inondé la poitrine de son lait, j'ai soupiré, repue. Il a étalé délicatement la liqueur sur ma gorge, m'a mis un doigt à la bouche pour me la faire goûter. Driss était sucré-salé.

J'ai tressailli lorsqu'il m'a chuchoté à l'oreille :

— Un jour, tu verras, tu me boiras ! Quand tu te sentiras totalement en confiance.

J'ai eu envie de lui répliquer « jamais », mais je me suis rappelé le plaisir qu'il venait de me donner. Le goût de l'éternité. Le monde était devenu soudainement caresse. Le monde était devenu baiser. Moi, je n'étais qu'un lotus flottant.

Le lendemain, je n'étais plus seulement amoureuse de Driss. Mon sexe le vénérait également.

Le bonheur ? C'est faire l'amour par amour. C'est le cœur qui menace d'éclater à force de battre, quand un regard unique se pose sur votre bouche, quand une main vous laisse un peu de sa sueur au creux du genou gauche. C'est la salive de l'être aimé qui vous coule dans la gorge, sucrée, transparente. C'est le cou qui s'allonge, se défait de ses nœuds et fatigues, devient l'infini parce qu'une langue en parcourt toute la distance. C'est le lobe de l'oreille qui pulse comme un bas-ventre. C'est le dos qui délire et invente des sons et des frissons pour dire « je t'aime ». C'est la jambe qui se lève, consentante, la culotte qui tombe comme une feuille, inutile et gênante. C'est une main qui pénètre la forêt des cheveux, réveille les racines de la tête et les arrose, sans compter, de sa tendresse. C'est la terreur de devoir s'ouvrir et l'incroyable force de s'offrir, quand tout dans le monde est prétexte à pleurer. Le bonheur, c'est Driss, rigide pour la première fois en moi, et dont les larmes s'égouttaient dans le creux de mon épaule. Le bonheur, c'était lui. C'était moi.

Le reste n'était que fosses communes et décharges publiques.

La nuit de la défloration

La fête était finie et j'étais prête à partir, abandonnant tout espoir de retour à la maison paternelle. Je me suis penchée sur ma mère et, comme l'exige la tradition, j'ai murmuré : « Pardonne-moi le mal que je t'ai fait. »

La formule scellait la séparation. Mon frère s'est baissé pour me déchausser. Il a placé un peu d'argent dans l'un de mes souliers, puis m'a portée dans ses bras à l'extérieur de la maison. L'âne du beau-père de Naïma m'y attendait pour me déposer chez ma nouvelle famille, cinq cents mètres plus loin.

— Il me faut un gosse ! Vite ! criait Chouikh, le marchand de beignets.

Un petit garçon devait m'accompagner dans mon bref voyage pour me porter chance. J'ai murmuré : « Je veux mon neveu Mahmoud. » Brandir un bâtard, censé porter malheur, à la face du destin pour qu'il me concède, contrit, des enfants mâles ne manquait pas de toupet. J'ai eu ce que je voulais et pu serrer le fils d'Ali contre moi au vu et au su des femelles courroucées.

Oncle Slimane tenait les rênes de l'animal et avançait, le dos rond, le turbouche [1] défait. Un mulet en conduisait un autre et Tante Selma était loin.

1. *Turbouche* : coiffure masculine portée par les Turcs et les Arabes.

Ma belle-mère m'attendait, flanquée de ses trois vieilles filles. Leurs youyous étaient trop aigus et les amandes qu'elles jetaient en signe de bienvenue ressemblaient à des pierres. Slimane m'a attrapée par la taille et déposée devant la haie de sorcières.

Neggafa et Naïma m'ont accompagnée jusqu'à la chambre nuptiale. Ma sœur a tenu à me déshabiller, contrariant Neggafa dont c'était la mission. Elle a dégrafé ma robe en silence et je lui chuchotai :

— Que va-t-il se passer maintenant ?

Sans lever les yeux, elle répondit tout aussi bas :

— Ce qui s'est passé entre mon mari et moi, le jour où tu as dormi chez nous, dans notre chambre. Te voilà édifiée.

Elle savait donc que je savais. Neggafa a commencé à égrener ses consignes :

— Dès que nous partons, tu agites sept fois ton soulier devant la porte en disant : « Dieu fasse que mon mari m'aime et ne regarde pas une autre que moi. »

Elle a fouillé son corsage et en a sorti un sachet :

— Tu mets cette poudre dans le verre de thé que j'ai posé sur la table. Débrouille-toi pour que ton mari en boive quelques gorgées.

Mais elle ne put me remettre le sachet, ma belle-mère ayant fait irruption dans la pièce sans crier gare, tenant à la main un brasero qui dégageait d'épais paquets d'encens.

— Mon fils va bientôt arriver, claironna-t-elle. Faites vite.

Naïma me retira le soutien-gorge, puis la culotte. J'avais envie de pouffer, tant mon village le décent pouvait devenir obscène dès qu'il était sûr de son bon droit et de son droit chemin.

Avant de me livrer à Hmed, Neggafa m'a murmuré à l'oreille :

— Tu mets ta chemise sous les fesses pour qu'elle

éponge le sang. Elle est en coton et les taches seront bien visibles.

Elle a ajouté, sévère :

— Ne le laisse pas déposer sa semence en toi. Tu auras le sexe trop humide et les hommes n'aiment pas cela. Allonge-toi sur le lit. Il ne va pas tarder à te rejoindre.

Ma sœur se pencha sur moi à son tour :

— Ferme les yeux, mords-toi les lèvres et pense à autre chose. Tu ne sentiras rien.

Je me suis retrouvée seule, ma robe de mariée gisant comme une peau de mouton en bas du lit. Je me suis plantée devant le miroir de l'armoire massive et me suis regardée, entièrement nue ! Ma peau brillait sous la lumière des bougies, lisse et glabre. Mes cheveux me tombaient sur le dos en cascade, les dessins du henné embaumant le long de mes bras. Mes seins pointaient, fermes et fiers. Je les couvris des mains. Que vont-ils subir et découvrir ? Tant d'histoires couraient sur la nuit de noces et ses supplices. Tant de scandales aussi.

Mon cousin Saïd avait fait rire sous les chaumières jusqu'en Algérie. Le bonhomme qui avait jadis offert mon sexe à la curiosité de ses petits camarades n'a pas pu affronter celui de sa femme et s'est avéré un vrai puceau. Il a voulu fuir, au désespoir de ses proches et amis.

— Mais enfin, tu es un homme ou pas ? s'est écrié l'un d'eux, excédé.

— Doucement. Je vais y aller, mais ce n'est pas la peine de me bousculer !

— Tu te fais prier pour enfourcher une femme ?

— Laissez-moi respirer !

Alors, du fond de la cour, son père a tonné, fou de rage :

— Bon, tu y vas ou j'y vais à ta place !

Saïd y est allé mais n'a pu dépuceler Noura, sa femme. Sa mère a déclaré qu'il était envoûté. Elle est entrée dans la chambre des mariés, s'est dévêtue et a ordonné à son fils de passer sept fois entre ses deux jambes. Il faut croire que le remède a été efficace puisque Saïd a retrouvé tout de suite sa virilité et a pu déflorer Noura dans le sang et les hurlements.

Je frissonnais. Je me suis mise au lit et j'ai tiré sur moi les couvertures, nue et abandonnée de tous.

En rouvrant les yeux, j'ai vu Hmed debout devant moi. C'était notre troisième rencontre, après celle des fiançailles et celle de l'Aïd, quand il était venu apporter le cadeau du moussem¹. Je ne sais si c'est la fatigue ou l'émotion, mais il m'a paru plus vieux que dans mon souvenir. Il s'est assis sur le bord du lit, m'a regardée, puis a passé une main timide sur ma gorge et mes seins. Il a marmonné : « Voilà un morceau de roi ! »

Il s'est déchaussé, a étalé un tapis par terre et s'est prosterné à deux reprises. Puis il m'a rejointe au lit.

Je n'ai pu voir que son torse et ses bras couverts de poils blancs. Il m'a coincé un coussin sous les reins et m'a attirée brutalement contre lui. Sa lippe tremblait, humide. J'avais ma chemise de nuit sous les fesses et Hmed sur la poitrine. Il m'a écarté les jambes et son membre est venu cogner contre mon sexe. Bornia riait dans les champs et ses chicots faisaient peur aux carottes. Le sexe qui tâtonnait entre mes jambes était aveugle et stupide. Il me faisait mal et je me contractais un peu plus à chacun de ses mouvements. L'assistance tambourinait sur la porte, réclamant ma chemise de vierge. Je tentai de me dégager, mais Hmed m'a

---

1. *Moussem* : signifie à l'origine saison, mais désigne couramment le cadeau offert à la fiancée pour l'Aïd ou la fête célébrant un saint.

clouée sous son poids et, le sexe en main, a tenté de l'enfoncer. Sans succès. Suant et soufflant, il m'a couchée sur la peau de mouton, a levé mes jambes au risque de me désarticuler et a repris ses assauts. J'avais les lèvres en sang et le bas-ventre en feu. Je me suis soudain demandé qui était cet homme. Ce qu'il faisait là, à ahaner sur moi, à froisser ma coiffure et à faner de son haleine putride les arabesques de mon henné ?

Il m'a enfin lâchée, s'est levé d'un bond. Les reins entourés d'une serviette, il a ouvert la porte et a appelé sa mère. Celle-ci passa tout de suite une tête, Naïma lui emboîtant le pas.

— Oh ! s'est écriée ma sœur.

Je ne sais pas ce qu'elle a vu, mais le spectacle ne devait pas être beau. Ma belle-mère écumait de rage, ayant compris que la nuit de noces tournait au fiasco.

Elle m'écarta d'autorité les jambes et s'écria :

— Elle est intacte ! Bon, on n'a pas le choix ! Il faut la ligoter !

— Je t'en supplie, ne fais pas ça ! Attends ! Je crois qu'elle est mtaqfa [1]. Ma mère l'a « blindée » quand elle était gamine et elle a oublié de la défaire de ses défenses.

Elles parlaient d'un rite vieux comme Imchouk, qui consiste à cadenasser l'hymen des petites filles par des formules magiques, les rendant inviolables même pour leur mari, à moins d'être déboutonnées par un rite contraire. Moi, je savais que Hmed révulsait mon corps. C'est pourquoi celui-ci lui interdisait tout accès.

Ma belle-mère me ligota les bras aux barreaux du lit avec son foulard et Naïma se chargea de me plaquer

1. *Mtaqfa* : se dit de la jeune fille dont l'hymen a été noué ou « blindé » afin qu'elle ne soit pas déflorée par un homme avant son mariage.

solidement les jambes. Pétrifiée, j'ai réalisé que mon mari allait me déflorer sous les yeux de ma sœur. Il m'a rompue en deux d'un coup sec et je me suis évanouie pour la première et unique fois de ma vie.

Mon pucelage circula de main en main. De la belle-mère aux tantes en passant par les voisines. Les vieilles y ont rincé leurs yeux, persuadées qu'il prévient la cécité. La chemise maculée de sang ne prouvait rien, sauf la bêtise des hommes et la cruauté des femmes soumises.

Une chose était sûre : Hmed allait faire l'amour à un cadavre durant les cinq ans de notre hideux mariage.

Combien de fois suis-je revenue à la bouche de Driss en cette nuit où j'ai fait ma première fugue de chez Tante Selma ? Vingt, trente fois ? Tout ce que je sais, c'est que j'y ai perdu ma virginité. La vraie. Celle du cœur. Depuis, mon âme n'est qu'un quai de gare où je me tiens debout à regarder les hommes tomber.

Au début, je n'ai pas voulu qu'il mette sa langue dans mon sexe, choquée par son impudeur. Mais les quelques atomes de seconde où ses lèvres ont frôlé mon mont de Vénus, j'ai senti l'univers chavirer, les mers déborder et les planètes imploser. Un éclair m'a lézardé le corps et la tête, mettant le feu à tout ce que j'avais vécu jusqu'à cette seconde. Je ne savais pas que cette caresse pouvait avoir cette intensité ni qu'un homme pouvait me la donner.

Parce que Driss a mis sa langue dans mon sexe, j'ai décidé de l'épiler. De voir ma nudité avant de le revoir. Je voulais savoir à quoi ressemblait exactement la bête qui avait bavé si scandaleusement son désir pour Driss, à l'abri de ses poils frisés et taquins, et qui était prête à tout pour accueillir de nouveau la bouche savante et riante dans son fourreau et revivre la folle jouissance vécue un jour plus tôt.

Rude affaire. Il fallait surveiller attentivement le sucre caramélisé, le travailler longtemps pour qu'il devienne tendre sans pourtant couler. S'épiler la chatte n'est pas s'épiler les jambes ou les aisselles. J'avais peur d'affronter la toison drue qui dormait, entre mes cuisses, tranquille et secrète, depuis mon mariage, ce temps où mon mari me prenait comme un pied de chaise se prend dans un tapis, égoïstement et sans rien savoir de mes plis et replis, de mes désirs que je découvrais flamboyants et rebelles.

La douleur est cruelle quand la langue de caramel se plâtre contre le mont de Vénus. J'ai horreur de la souffrance physique. Vaillamment, j'étale la cire sur les grandes lèvres et découvre, désarçonnée, que des poils se logent aussi dans la surface intérieure, là où la chair est si tendre et luisante, dérobée. Un coup de cire, puis deux. La douleur passe vite et c'est le plaisir qui lui emboîte le pas, traître. Comment ? Je ne sais. Au lieu de se contracter et de se ratatiner, les chairs luisent, s'ouvrent grandes et l'entrée du vagin devient humide. L'emplâtre glisse, ne trouve plus paroi où se coller. Les chairs, devenues marines, ne lui offrent plus de prise. La boule se parfume, à chaque passage, de mon suc. Mon sexe prend plaisir, je le constate, à se laisser arracher ses poils, à se faire martyriser. Le désir, telle une déflagration, m'éclate la tête. Je deviens complice de cette chair inconnue, capricieuse et impériale. Je craignais de me faire mal et voilà que mon con jouit, parfaitement réveillé. Les petites lèvres fripées battent sous ma main engluée de cire. Je suis prête à défaillir. Sous le jet d'eau chaude qui dilue les quelques grumeaux de sucre qui s'accrochent à la peau, je regarde un sexe rebondi et soyeux, semblable à celui que je découvrais petite, sous les couvertures, et qui est aujourd'hui plein et mûr comme un fruit. Prudemment, puis de plus en plus frénétiquement, je l'explore à nouveau, couronné d'une virginité canaille et superbe. Il en veut. Je n'ai ni Driss ni la carotte de Bornia sous la main. Je le prends et le ramasse, sévère. Il en redemande. Le clitoris pointe le bout du nez, dégagé, telle une langue de feu. Je succombe. Je le veux. Je me veux. Du pouce, je provoque l'érection sublime. Mon clitoris se cale contre l'index charitable et compréhensif qui soutient sa rigidité. Son ivresse. Je comprime cette masse d'eau et de feu comme pour la punir. Mon sexe m'a vaincue. Il est heureux et je vibre jusqu'aux orteils de son bonheur. Plus que tout, c'est sa surface tendre et blanche qui m'émeut. Je jouis de et par ce sexe nu qui me nargue. Il est si beau que je comprends qu'on veuille y fourrer la langue. Je ne me masturbe pas : je fais l'amour à la bête benoîte qui jouit sans vergogne sous mes doigts. Elle n'arrête pas de couler et moi de lui dire : « Encore... Encore. » C'est à mourir de rire : je suis tombée amoureuse de mon propre con. En une nuit, j'avais franchi d'une foulée sept lieues d'un coup, traversé le miroir pour enfin me rencontrer.

J'ai revu Driss le lendemain, le jour d'après et tous les jours ensuite. Il faisait ce qu'il voulait de mon corps et je regardais ses miracles, éberluée. Chaque mot, chaque regard balayait une appréhension, une ignorance ou une fausse pudeur. Ma peau devenait plus souple, ma respiration plus détendue. Je ne me lassais pas d'apprendre, aspirant les galaxies et recrachant les trous noirs.

J'étais heureuse et Tante Selma le savait. Elle n'approuvait pas mon choix, mais bénissait mon corps qui exhalait ses essences rares en parfaite harmonie avec les plantes qui grimpaient dans sa cour. Un jour, alors qu'on nettoyait sa chambre à grande eau, elle s'est arrêtée soudain d'essuyer le carrelage, a arrangé son foulard puis a lâché distraitement :

— Débrouille-toi pour ne pas tomber enceinte. Pas pour toi, mais pour le gosse. Les mécréants sont cruels pour les bâtards.

Je ne savais pas comment s'évitent les grossesses. Elle a dû le deviner puisqu'elle est revenue à la charge un peu plus tard dans la journée, en roulant les fils de pâte, un tamis coincé entre les cuisses :

— Tu as le choix : soit tu essaies les recettes arabes, soit tu demandes à ton toubib comment font les Nazaréens.

Je savais qu'elle était inquiète et je lui ai pris la main pour l'embrasser. Elle l'a vivement retirée, a souri, vaincue :

— Je suis folle de colère. Folle furieuse !

— Tante Selma, l'amour est un beau péché...

— Lorsqu'il est partagé.

— Il est dénué de raison !

— Mais Driss, lui, est parfaitement raisonnable. Jamais un bourgeois de son espèce n'épousera une paysanne ! Tu crois que Tanger va te laisser faire ? Il est médecin, riche, célèbre et généreux avec les femmes. Les mères sont prêtes à lui lécher le cul pour qu'il épouse leurs filles. Elles sont même prêtes à atterrir dans son lit pour en faire leur gendre !

— Comment ça ? C'est h'ram[1], sept fois défendu par Dieu plutôt qu'une !

— Dieu interdit ce qu'Il veut mais Sa créature n'en fait qu'à sa tête. Demande-Lui juste d'éloigner de ton chemin la Bête travestie en homme ou en femme ! Et retiens, surtout, qu'Il pardonne beaucoup mais n'aime pas spécialement qu'on L'offense. Un enfant sans nom est chose abominable ! Ne fais pas un enfant que le monde ne désire pas, même si toi tu le désires. Ne me tue pas avant l'heure, Badra ! J'ai tant de choses à faire encore.

J'ai regardé mon ventre et souri : je ne me sentais pas douée pour la maternité. Tout ce que je désirais,

1. *H'ram* ou *haram* : illicite.

c'était aimer et baiser avec Driss. Je n'ai pas osé le dire à Tante Selma et c'est dommage.

Comme je ne lui ai pas dit, bien des années après, que si je n'ai jamais pu mettre un enfant au monde, c'est faute d'avoir trouvé le père qui l'en protège.

Driss avait changé mon langage et mon allure, la manière dont s'ordonnaient mes idées. Je ne commettais pas de péché, ne volant rien à personne, convaincue, par ailleurs, que le monde ne valait pas un clou sans l'immense brasier d'amour où je me tenais debout, le cœur à découvert. Mon cœur aimait Driss, et pensait aux mendiants qui tendent la main à Dieu et que les hommes rabrouent, distraits et radins. Tous les vendredis, j'offrais un pain aux vieux couverts de cloques et de haillons qui occupent l'entrée des mausolées. J'avais la conscience pure, comme au temps où, écolière, je déposais un centime dans la main de Hay, le mendiant posté devant la mosquée d'Imchouk. Mon cœur aimait Driss, battait en criant à tue-tête : « Dehors, Imchouk ! Dehors les bigots qui préfèrent les marabouts aux prophètes, les transes aux prières et les incantations aux versets. Dehors, les efrits et les esprits malins, les boucs et les imams aux pieds fourchus ! Bienvenue à Dieu, aux blés et aux oliviers. Bienvenue aux cœurs transis d'amour et aux culs purifiés à l'eau bénie des étoiles. »

Nous nous retrouvions, Driss et moi, dans son appartement du boulevard de la Liberté, l'un des nombreux biens immobiliers qu'il possédait à Tanger. Mon homme administrait une immense fortune, léguée par une grand-mère d'origine fassie [1] dont il était l'unique petit-fils. Elle avait tenu à le désigner comme héritier, malgré sa fille, à le hisser à un rang que la mort prématurée de son père aurait dû lui interdire selon les règles de la jurisprudence. Il m'expliqua, passionné et canaille, les subtilités du droit musulman et comment sa grand-mère avait pu en déjouer les mécanismes, grâce à la fatwa d'un mufti de son quartier. Mais l'argent le faisait rire et il aimait son métier de cardiologue, l'exerçant avec un talent époustouflant reconnu autant par ses pairs que par ses patients.

— J'ai accepté l'argent de Grand-Mère uniquement parce que je savais qu'on ne pouvait faire l'amour, elle et moi. Elle me voulait brillant, m'a envoyé dans un lycée arabe quand la mode voulait qu'on s'use le cul sur les bancs des écoles françaises. Sacrée bonne femme !

Driss aimait le Maroc jusqu'à refuser d'ouvrir un

1. *Fassi(e)* : originaire de la ville de Fez.

cabinet en ville, estimant que sa vraie place était à la santé publique. Il avait quitté Fez et s'était installé à Tanger dans ce seul objectif. Parfois, il mettait Oum Koulthoum et se déclarait passionné de lettres arabes et fou amoureux des libertins de l'âge classique. J'ai lu Abou Nawas sous son regard gourmand et humide, y ai découvert une liberté qui n'est pas de ce monde. C'est mon amant qui me parla, le premier, de la Passion de Hallaj. Dieu merci, je m'en foutais. Comme je me foutais de la liste des visiteurs illustres qu'il m'égrenait, Nazaréens « amoureux dingues de cette garce paresseuse aux jambes ouvertes, Tanger, mi-loukoum mi-cochon, réputé les guérir de la mort » — dont un Paul Bowles qui logeait non loin, un Tennessee Williams au Minzah[1] et un certain Brian Jones qui avait pris quartier chez les musiciens de Jajouka[2].

Je m'abîmais parfois à le détailler. Il n'était pas beau à proprement parler. Mais il avait cette minceur assassine, ces muscles longs et fins qui jouent sous une peau couleur terre cuite et qui me faisaient fondre, jambes flageolantes et culotte instantanément mouillée. A la forme de ses doigts, effilés et délicats, on devinait un sexe vénéneux, de ceux qui naviguent en haute mer, insatiables et inlassables. Je suis de celles qu'une fois ne satisfait pas. C'est lui qui me l'a fait découvrir.

Il riait et ses dents donnaient envie de mordre dans ses lèvres pleines, de humer cet espace qui sépare le nez de la bouche, là où le tabac laisse des traces subtiles, là où j'ai envie de passer la langue. Depuis, j'adore l'odeur du tabac lorsqu'elle se mêle à la légère sueur des peaux brunes.

Mon homme passait le plus clair de son temps libre à lire et à fourbir des blagues pour ses soirées de la

---

1. Minzah : quartier de Tanger.
2. Jajouka : groupe de musique.

haute. Il parlait des femmes, de leurs culs et de leurs seins sans ciller, drôle et féroce, le sexe dressé et la main friande. Il buvait, titubait, se grattait les fesses, déambulait parmi ses meubles, disques et bibelots, nu et parfaitement à l'aise, riait lorsque je lui demandais de regarder ailleurs et de ne pas fixer mon derrière quand je filais vers la salle de bains. Il ne prêtait attention ni au temps ni à la dépense. De mon côté, j'arpentais les champs de l'enfance, comblée. Je n'étais pas à Tanger. Je n'étais nulle part. J'étais dans un amour incroyable et total, un amour polyglotte, qui n'avait besoin ni d'enfant ni de mariage, un amour qui ne savait qu'aimer.

Un jour, il m'a pris le visage entre ses mains et m'a demandé, vaguement inquiet :

— Dis, tu m'aimes ?

Je n'ai pas su quoi répondre. Que je me le dise à moi-même ou le confie à Tante Selma ne prête pas à conséquence ! Mais l'avouer à Driss !

— Je ne sais pas !

— Pourquoi viens-tu me voir alors, au risque de te faire traiter de pute par Tanger ?

— Tanger ne me connaît pas !

— Si, si, mon chat ! Et cette ville me connaît trop bien pour me pardonner !

— Te pardonner quoi ?

— De t'avoir préférée à Aïcha, Farida, Shama, Neïla et tant d'autres dévergondées de bonne famille !

— Tu continues de les voir, pourtant !

— Pour rire, mon abricot ! Juste pour rire ! Shama prétend sentir ton odeur dans mes cheveux et Naïla dit que je pue la hilba[1] depuis quelques mois !

— Et tu les crois ?

— Pour mes cheveux, sans problème ! J'ai tout le

1. *Hilba* : fenugrec.

temps la tête fourrée entre tes jambes ! Elles le savent, d'ailleurs !

— Non !

— Si ! Je leur ai même suggéré d'en faire autant, au lieu de passer leur vie à sucer Jalloun, le voisin, à tour de rôle !

— Tu es complètement fou !

— Mais non ! Je te raconte juste ce qui se passe dans les palais de notre chère ville. En attendant, tu veux bien laisser ton amoureux te goûter encore une fois ?

Il ne servait à rien de protester ou de prétendre ne pas aimer cela. Il lui suffisait d'entrebâiller ma culotte pour découvrir une fontaine délurée.

Badra à l'école des hommes

A dix ans, j'ai cessé de vouloir découvrir le sexe des femmes. Je voulais voir une bite d'homme. Une vraie. Je le dis à Noura et ma cousine pouffa de rire, me traitant de gourde.

— Moi, j'en ai déjà vu plusieurs et de toutes les couleurs !

— Où ?

— Mais au marché, pardi ! Les paysans s'assoient à califourchon et laissent traîner leur manche parmi les bottes de légumes.

Nous y sommes allées ensemble, avons fait le tour des étalages sans succès. J'avais peur qu'on ne rentre bredouilles, mais nous sommes tombées sur un paysan qui avait retroussé sa vieille djellaba. Un machin noi-râtre nous a bien semblé pendouiller entre ses jambes, mais nous n'avons pas pu réellement le vérifier, le bonhomme ayant deviné notre manège et nous ayant couru après, nous traitant de « semailles du diable ».

Moha, le potier, a dû suivre de loin l'épisode puisqu'il a largement souri à notre passage et fait un signe discret.

— Hep, les filles ! Regardez un peu par ici le morceau de réglisse que j'ai.

De l'échancrure de son saroual émergeait discrètement un bout rond violacé, à moitié caché par le tour plein d'argile qu'il actionnait à coups de pied réguliers. Nous nous sommes arrêtées, Noura et moi, un instant pétrifiées, puis avons détalé, secouées de rires nerveux.

En coupant à travers champs pour rentrer, je dis à Noura que le machin du potier n'était pas beau à voir.

— Et encore ! Tu ne l'as pas vu en entier ! Il se cache parfois dans les taillis, près de l'oued, et le montre aux fillettes qui s'y attardent, après que leurs mamans ont fini de laver leur linge.

— Tu aimerais toucher, toi, quelque chose d'aussi noir ?

— Franchement, oui ! Il paraît que, si tu presses dessus, il en sort du lait. Si une femme en boit une goulée, elle tombe enceinte.

— Mais non ! Ces choses-là se passent avec les yeux !

— Comment ça ?

— Ben, Tante Selma dit souvent à Oncle Slimane : « Cesse de me regarder comme ça, sinon tu vas me mettre enceinte ! »

— Merde, alors ! Quelle menteuse, cette Bornia ! Elle n'arrête pas de dire à ma mère de gaver mon père d'œufs frits à l'ail et de miel sauvage pour que son machin se remplisse de lait et qu'elle puisse avoir deux beaux jumeaux, noirs comme des pruneaux et géants comme le grand-père !

Noura était ma pourvoyeuse en histoires salées. Telle celle du berger de Sidi Driss qui avait la manie de se frotter le manche contre une haie de figuiers de Barbarie, son membre d'ogre velu étant insensible aux épines. Mais non aux morsures d'âne, semble-t-il, puisqu'on a dû l'hospitaliser d'urgence le jour où un baudet flâneur a confondu son gland avec une figue et a mordu dedans avec une bestiale gourmandise.

Noura m'a proposé de passer en revue les zizis des cousins. J'ai haussé les épaules, méprisante. Je connaissais déjà celui de mon frère, Ali, auquel j'avais été présentée à plusieurs reprises lorsqu'il courait fesses nues derrière les poules. Je l'ai même vu se faire couper le prépuce et rejoindre la tribu d'Abraham, couvert de morve et de cadeaux. La seule chose intéressante dans l'affaire a été de voir ma mère trôner dans la cour, un pied dans l'eau et l'autre à terre. Quand Ali a crié, elle a agité son pied droit, frappant de ses anneaux les parois du seau. Les bruits métalliques et les youyous couvraient les pleurs d'Ali, mais elle suait à grosses gouttes, hagarde et livide. Les mères ne supportent pas qu'on touche à leurs fils, leur butin de guerre. Au fond, elles n'aiment que les zizis. Elles en raffolent, même, et passent leur vie à les bichonner pour s'en servir, au moment opportun, comme autant de dagues et de fleurets. Qui a dit que les femmes étaient dépourvues de bites ?

Noura a pu satisfaire sa curiosité des zizis quand Tante Touriyya, qui habite une bourgade voisine, est venue nous rendre visite pendant l'Aïd, accompagnée de ses deux garçons âgés de douze et treize ans. A l'heure de la sieste, nous nous sommes enfermées, Noura et moi, dans la chambre que j'occupais toute seule depuis le mariage récent de Naïma.

Nous étions en train de jouer dans un coin quand les deux cousins sont entrés à pas de loup, en nous intimant de rester calmes. Ils ont eu vite fait de nous plaquer contre le mur, nous pinçant les seins et les fesses. Noura suffoquait et tentait de repousser Hassan. Saïd, lui, soulevait ma jupe. Il a essayé de m'amadouer :

— Tu veux que je te montre l'oiseau ?

Noura, pleurant presque, a menacé de crier. Les deux frères nous ont lâchées et Hassan a annoncé, méprisant :

— Hé, les pisseuses, nous, on ne force personne ! Mais si vous voulez apprendre à vivre, venez nous rejoindre demain près du puits de la Karma. Vous en verrez, des choses !

Contre toute prudence, nous y sommes allées. Saïd et Hassan nous attendaient à la sortie du village, installés à l'ombre d'un olivier. Nous nous sommes retrouvés dans une clairière puis devant une haie de roseaux.

— Chut ! Baissez la tête, qu'on ne vous voie pas !

Ce que j'ai aperçu à travers les roseaux m'a coupé le souffle : une douzaine de garçons, cousins et compagnons de jeu, étaient allongés sur l'herbe, la main de l'un allant et venant dans l'entrejambe de l'autre, paupières closes et souffle court. Noura écarquillait les yeux. Moi, je savais que je n'étais pas à ma place et que je n'avais pas à regarder un tel spectacle.

— Petite curieuse ! Petite vicieuse ! me susurrait Saïd, l'œil allumé.

— Mais pourquoi font-ils ça ? demanda Noura, visiblement dépassée.

— Parce qu'ils ont la trique et que les chèvres ne sont pas toujours dociles, répondit Hassan en gloussant.

Nous nous sommes rapidement éloignées, malgré les protestations des deux garçons :

— Hé, les filles ! Maintenant que vous vous êtes régalées, il va falloir nous récompenser ! Montrez-nous votre minette ! Rien qu'un peu ! Allez, ne soyez pas rosses !

J'ai pris mes jambes à mon cou, Noura à mes trousses. Fous de rage, les garçons nous ont traquées à travers les fourrés et nous auraient rattrapées si Aziz, le berger, n'était passé, juché à l'envers sur son âne, chantant de sa grosse voix des mélopées berbères. Saïd et Hassan ont dû battre en retraite, dégoûtés.

— *Vous, les deux klebs, vous ne perdez rien pour attendre ! On va tout raconter à Am Habib, le tahhar* [1]. *Il viendra vous la raccourcir une deuxième fois !*

Voir des garçons se toucher entre eux m'a profondément choquée. Une quéquette n'avait donc pas de préférence particulière : elle court la minette et la braguette, indifféremment. Je me sentais brutalement détrônée, atrocement inutile.

Je le dis à Noura qui avoua, penaude :

— *Moi, je croyais que seules les filles le faisaient entre elles !*

— *Quoi ?*

— *Ben, oui ! On ne t'a pas fait participer à nos jeux de peur que ta mère nous attrape ! Elle est terrifiante, ta mère, tu sais !*

— *Tu n'es qu'une traîtresse ! Tu me le payeras !*

— *Je t'assure que j'attendais juste la bonne occasion pour te montrer !*

— *Bon, tu me montreras tout à l'heure ! Venez à la maison et je me charge de tromper la vigilance de maman.*

Elles sont venues, quatre filles cousines et camarades de classe. Nous nous sommes retrouvées avec nos poupées et colifichets, jouant aux adultes qui reçoivent et font la fête. Chacune des fillettes, une serviette sur la tête en guise de haïk, a toqué à la porte de ma chambre, est entrée en débitant les formules d'usage :

— *Comment vas-tu, ya lalla ? Comment va le maître de ta maison ? Et la grande, elle s'est mariée ? Que Dieu bénisse votre toit !*

Je les ai installées sur une natte, au bas du lit. J'ai servi un reste de thé mélangé à de l'eau et des gâteaux

1. *Tahhar* : homme chargé de la circoncision des enfants mâles.

secs volés dans l'armoire de maman, puis Noura annonça qu'on allait continuer à bavarder sous le sommier. Elle a commencé, la première, à se presser contre Fatima et les autres fillettes ont suivi son exemple. Je me contentais de regarder. Noura n'a pas tardé à abandonner sa camarade de jeu pour s'occuper de moi. J'ai serré les cuisses, mais sa main a vite trouvé mon sexe et a commencé à me titiller le bouton sous la jupe. Comme pour me venger des délicieuses sensations que me procurait sa caresse, je fourrai la main entre ses jambes et lui rendis la pareille. Aucun son n'était perceptible, mais les mains jouaient une furieuse partition sur des corps consentants. Une chaleur douce et étourdissante courait le long de mes jambes. Mon minou levait sous la main active qui le frictionnait, malaxant le petit escargot tapi tout en haut. Je tâchai de ne pas ralentir le mouvement de mon doigt, afin que Noura continue à rouler des yeux, éperdue, la bouche ouverte et le front couvert de sueur. J'ai repensé à la scène des garçons et me suis demandé s'ils trouvaient à leur jeu le même plaisir que le nôtre. La main de Noura me caressait et c'était divinement bon.

Pendant presque une année, une sorte de frénésie s'empara de nous, nous poussant, Noura et moi, à nous frotter l'une contre l'autre à la moindre occasion, seules ou en présence des autres gamines. Son doigt devint le visiteur attitré de mon intimité. Je répugnais à me livrer à d'autres mains que les siennes, déjà fidèle, déjà exclusive. Sans nous déshabiller, le sexe à peine dégagé, il nous arrivait de nous chevaucher l'une l'autre, les pubis encastrés et les mains fureteuses. Noura devenait mon tendre secret. J'étais son idole et un peu sa propriété.

Saïd continuait de son côté à me tourner autour. Quelques jours avant qu'il reparte vers sa bourgade, il est venu me trouver, les yeux pétillants et la voix suppliante :

— J'ai quelque chose à te demander.

— Je t'écoute !

— Tu as bien vu ce que je pouvais te faire découvrir.

— Tu parles des garçons ? Et alors ? Vous n'êtes qu'une bande de dégénérés dont ne veulent pas les femelles !

— Dégénérés ou pas, ils t'en ont bouché un coin. Bon, c'est pas de ça que je voulais te parler. Je veux que tu me rendes un service. Suis-moi.

Il a foncé en direction des champs.

— Où tu vas, là ? Maman n'aime pas que je traîne avec les garçons.

— On n'en a pas pour longtemps.

Quelques minutes plus tard, nous débouchions sur la même clairière que la fois précédente. Un groupe de garçons y étaient installés, comme si c'était jour de marché.

— Tu es fatigant. Tu ne vas pas me rejouer la même scène ?

— Non. Mais j'ai fait un pari.

— Quel pari ?

— Leur montrer ta chatte.

Je m'étranglai.

— Je t'en supplie ! Ne me laisse pas tomber ! Tu ne risques rien, je t'assure. Tu vas rester ici, tranquille. Je vais utiliser cette serviette comme rideau. Mes amis vont faire la queue. Chaque fois que je relève la serviette, tu lèves la jupe et tu montres ton minou.

J'avais envie de connaître la suite et je me laissai faire. Il accrocha la serviette à une branche, l'étala de manière qu'elle me cache entièrement aux regards et cria à l'adresse de ses copains :

— Préparez-vous. A mon signal, Farouk, tu avances d'un pas !

C'est ainsi que j'ai pu pendant une bonne demi-heure exhiber mon bijou et voir son effet sur les garçons, la culotte dans une main, l'autre occupée à soulever et à rabattre ma jupe. Mon cousin levait le rideau, puis le baissait comme un torero qui agite son chiffon devant la bête tétanisée. Je regardais paisiblement les petits curieux. Eux ne voyaient que mon sexe, hypnotisés. Certains rougissaient jusqu'aux oreilles, d'autres pâlissaient, comme sur le point de s'évanouir.

Le dernier spectateur parti, Saïd me tapota fièrement la joue et s'écria :

— Ah, cousine ! Tu as été géniale. On peut dire que tu as du cran, toi ! Je te revaudrai ça, promis, juré !

— Tu as parié que je montrerais ma chatte à tes copains sans baisser les yeux, c'est ça !

— Mieux ! Chacun de ces débiles a payé une pièce pour pouvoir admirer ton minet. Total : j'ai un dirham dans la poche et je vais me payer le ballon que Lakhdar, l'épicier, suspend à la porte de sa boutique pour me faire bisquer de rage.

Ma chatte contre un ballon ! Je trouvais cela ridicule mais j'étais flattée qu'elle rapporte autant sans que je fournisse le moindre effort. Je demandai, néanmoins :

— Et qu'est-ce que je gagne, moi ?

— L'estime de ton cousin qui peut-être se mariera un jour avec toi.

— Je ne veux pas me marier avec toi. Tu es trop gros et tu sens l'ail comme ta mère.

Nous ne nous marierons pas. Il épousera Noura et oubliera de bander le soir de son mariage. Il deviendra surtout un des meilleurs négociants de sa génération.

Dès le début de notre relation, Driss a tenu à me verser à la fin de chaque mois cent dirhams, mon « salaire », disait-il. Il voulait me doter d'une autonomie financière qui me permettrait d'assainir mes rapports avec Tante Selma et de m'affirmer « majeure et adulte ». L'idée m'a paru incongrue, mais je n'ai pas refusé son argent. Il a insisté pour que je m'inscrive à un cours de sténodactylographie, que je reprenne mes livres scolaires, me remette au français et à la lecture. Je l'ai fait, peu convaincue de ses arguments, mais désireuse de lui plaire.

J'ai abandonné le voile pour les robes qu'il m'offrait, les escarpins, lcs foulards et les bijoux qui valaient une fortune. Tante Selma bougonnait : « Puisqu'il te baise et t'entretient, qu'est-ce qui l'empêche de te demander en mariage ? Il est en train de faire de toi une pute de luxe. »

Le mariage ? Mais nous étions mari et femme, et ce n'est pas la feuille signée devant les adouls[1] qui allait y changer grand-chose, affirmait mon amant. Je le croyais. Avant l'amour, il me faisait lire des pages

1. *Adouls* : notaires religieux.

entières de Lamartine, corrigeait ma diction et mes fautes d'orthographe.

— Tu te mettras bientôt à Racine si tu t'appliques ! disait-il, hilare.

— Pour quoi faire ? A quoi tout ce fatras va-t-il me servir ?

— A aller loin dans ta tête. A gagner ta vie, aussi.

— Travailler, moi ? Mais je n'ai aucun diplôme.

— Tu as déjà le certificat d'études et quelques années de collège. Laisse-moi faire. Tu trôneras bientôt derrière un bureau et mettras ta signature au bas d'un tas de paperasses inutiles.

Il a tenu parole. Moins d'une année plus tard, il m'a obtenu un emploi de secrétaire dans l'une des agences de la compagnie aérienne du royaume. Mes émoluments étaient dérisoires, mais je n'étais pas peu fière de rapporter un salaire à la maison. Tante Selma a refusé que je le lui remette en entier à la fin du mois :

— C'est ton argent et tu dois en disposer librement. Tu veux participer aux dépenses ? D'accord, mais apprends à gérer tes finances et à économiser pour ne jamais t'exposer au besoin.

Driss m'a également ouvert un compte épargne à la Poste. Plus tard, j'ai eu un compte bancaire mais je garde, aujourd'hui encore, mon livret postal, comme la lumière fossile d'une planète disparue depuis bien longtemps.

J'aimais Driss et j'ai appris à le lui dire, ingénue et repue de son corps. Lui souriait, un peu triste, et me tapotait la joue, paternel :

— Ma petite fille, c'est quoi, aimer ? Nos épidermes sont contents de se frotter l'un à l'autre. Demain, tu rencontreras un autre homme, tu auras envie de lui caresser la nuque, de l'avoir entre tes jambes. Je passerai à la trappe.

Je criai, horrifiée :

— Jamais !

— Ne dis pas de bêtise ! De mon côté, je peux rencontrer une femme, des femmes, avoir envie de les lécher.

— Je n'aime pas quand tu deviens grossier.

Son langage me rappelait mes mégères de belles-sœurs et, je ne sais pourquoi, le triste sort des hajjalat d'Imchouk.

Mes marginales bien-aimées

Mon cousin Saïd m'avait fait découvrir qu'un sexe pouvait se vendre et rapporter de l'argent, comme celui des hajjalat mises au ban du village et que Tante Taos accusait de « monnayer leur chatte ». Je me disais, intriguée : « Ainsi, elles font comme moi et je fais comme elles. Pourquoi tant de chichis pour si peu de chose ? »

Celles dont on chuchotait les noms en murmurant des aoudhu-billah[1] d'indignation, étaient des femmes sans homme, et de ce fait considérées sans vertu. Elles n'étaient que trois, une mère et ses deux filles, mais leurs péchés, murmurait-on, égalaient en poids ceux de la terre entière. Elles vivaient seules depuis que le père, parti en pèlerinage, avait disparu. Certains le disaient mort en terre sainte, d'autres chuchotaient qu'il s'était établi à Casablanca et que ses femelles « travaillaient » pour lui. Comment des femmes pouvaient-elles « travailler » tout en étant recluses ? Eh bien, maintenant, je savais.

Je tendais l'oreille pour glaner la moindre rumeur qui circulait à leur sujet et la recueillais, fébrile et avide. J'inventais n'importe quel prétexte pour rôder

1. *Aoudhu-billah* : Que Dieu nous protège.

autour de leur logis, une ferme aux tuiles rouges qui leur avait été offerte par un ancien colon et qui donnait juste sur l'oued. Elles l'avaient entouré d'un muret blanc sur lequel grimpait une herbe folle qui cachait la façade et faisait de ses tiges inextricables un paravent à ces dames.

Il y avait toujours, posté au coin, un homme brun, à la tête énorme, qui faisait office de gardien. Il leur servait de coursier aussi. Il s'éclipsait à la tombée de la nuit pour laisser place aux gars du village qui défilaient, plus ou moins discrets.

On voyait parfois les deux sœurs dans les rues d'Imchouk. La mère, jamais. Elles traversaient la place, entièrement voilées, ne montrant qu'un seul œil, exagérément dessiné au khôl. On chuchotait qu'elles avaient le visage hideux, le bassin plat, le teint blême, la démarche lourde et les pieds plats.

Il arrivait que l'une d'elles entre chez Arem, la couturière, ou franchisse le seuil du mausolée de Sidi Brahim. Elles allaient aussi au hammam et tout le monde savait que les femmes en désertaient la grande salle pour se réfugier dans le vestibule quand s'annonçaient les hajjalat.

J'ai pu les admirer tout mon saoul le jour où je les ai croisées devant le bassin d'eau chaude. Dès qu'elle les a vues, ma mère a vite fait demi-tour et s'est presque enfuie. Moi, je suis restée plantée là à les dévorer des yeux. Elles étaient belles et jumelles. Leurs corps moulés dans des combinaisons en fine dentelle avaient la blancheur de l'albâtre. Les seins, outrageusement lourds, avaient le téton rose et épanoui comme un grain de grenade. Leurs yeux étaient d'une couleur indéfinissable sous l'arcade sourcilière, dessinée en croissant de lune. Etaient-ce là les monstres qu'on ne cessait d'insulter et de maudire dans les coins et recoins d'Imchouk ? A mes yeux d'adolescente, cette chair, ces croupes, ces peaux, ces bassins n'étaient rien d'autre que l'incarnation d'un désir total et tyrannique. En me penchant pour emporter le seau plein d'eau brûlante, j'ai frôlé la jambe de l'une des sœurs. Quand j'ai levé la tête, visage brûlant et vue brouillée, je l'ai vue sourire, reine et lointaine. Elle m'a pris le visage entre ses mains, telle une coupe, et m'a embrassée presque sur la bouche, légèrement d'abord, puis d'une pression chaude et insistante. Ses lèvres donnaient le vertige. Je me suis enfuie en criant. Dans mon dos riait cette reine de Saba que mon instituteur affectionnait particulièrement :

— Reviens quand tu veux, fillette ! Ta salive est de sucre et de miel, m'a-t-elle lancé par-dessus le monde et ses échafauds.

Ma mère m'attendait dans le hall, les sourcils froncés et le regard soupçonneux :

— Que faisais-tu à l'intérieur ? Pourquoi as-tu tardé à sortir ? Ne t'ai-je pas interdit de regarder ces filles de mauvaise vie ?

— J'ai glissé en voulant fuir ! Je crois que je me suis évanouie.

Ce n'était qu'un demi-mensonge, ma tête bourdonnant encore du plaisir goûté au nez et à la barbe d'Imchouk. Le baiser de la fille me brûlait le coin des lèvres et m'étourdissait. Le soir dans mon lit, je n'ai pu m'empêcher d'exhorter Dieu :

— Faites que je devienne une hajjala ! Faites que cette fille revienne m'embrasser !

Elle n'est pas revenue, sauf dans mes rêveries nocturnes, quand je songeais à mon serment d'avoir le plus beau sexe d'Imchouk et de la terre entière. Je savais désormais que les hajjalat me surpassaient en beauté et en mystère, mais je ne leur en voulais pas. Au contraire. Je sentais confusément qu'elles étaient mes sœurs de race, des aînées qui pourraient un jour m'ouvrir toutes grandes les portes d'un paradis inconcevable pour les autres mortels.

Une après-midi, j'ai croisé l'une des sœurs à la sortie de l'école. Elle traversait l'oued. J'ai décidé de la suivre, quitte à me faire étriper par ma mère. Elle marchait sans se presser ni se retourner, regardant droit devant elle, le voile froufroutant. Lorsqu'elle dépassa la mosquée, j'ai dû courir car elle avait brusquement hâté le pas.

Elle a pris la direction du cimetière, y est entrée après avoir jeté un coup d'œil à la ronde. Je me suis terrée derrière un petit bosquet où broutaient deux chèvres. Penchée sur une tombe, les paumes ouvertes et levées vers le ciel, la hajjala priait. Autour, il n'y avait pas âme qui vive.

Elle n'en finissait pas de réciter ses versets et je commençais à avoir des courbatures. Mon retard allait me valoir une belle raclée, pensai-je, anxieuse. Soudain, je vis un homme surgir de l'autre côté du cimetière et s'avancer vers la jeune femme. Arrivé à sa hauteur, il tendit les mains comme pour une prière puis, d'un coup, l'attira contre lui avant de la courber sur la tombe. Il se glissa derrière elle et se plaqua contre son dos. Le voile laissait juste deviner le va-et-vient de l'homme, dérobant leurs deux corps aux regards. Je compris enfin le sens de leurs mouvements et quittai le bosquet, rebroussant chemin et cherchant une excuse valable à mon retard.

Ma mère ne crut pas un mot de ce que je lui racontai. Elle m'enferma dans les toilettes après m'avoir administré la plus belle raclée de ma vie. Seule la visite impromptue de Tante Selma me sauva d'une plus sévère punition. L'épouse de Slimane me fit promettre de ne plus jamais traîner après l'école. Le lendemain, elle profita de ce qu'on était seules dans l'arrière-maison, entourées de jarres d'huile d'olive, de couscous et de viande séchée, pour me demander :

— *C'est vrai que tu as poussé jusqu'au cimetière, hier soir ?*

— *Qui t'a raconté ça ?*

— *Tijani, le bigleux, en a averti ton oncle qui me l'a répété ce matin, en ramenant les sfinges du petit déjeuner. Qu'est-ce que tu es allée faire là-bas, à l'heure du crépuscule ?*

— *Je suivais la hajjala, avouai-je, rougissante.*

— *Ouah ? D'où connais-tu cette femme ?*

— *Je l'ai vue au hammam avec sa jumelle !*

Tante Selma était rouge de colère. Elle me tira l'oreille sans ménagement :

— *Ecoute-moi : Ne t'avise plus jamais d'approcher ces femmes. Tu ne comprends donc pas qu'elles sont mauvaises ?*

— *Elles sont si belles, Tante Selma !*

— *En quoi ça te regarde ? Tu ne vas pas te marier à l'une d'elles que je sache ! Ouallah ! Je te coupe la tête si je te chope en train de rôder autour d'elles !*

Je remontai une mesure de couscous à la cuisine. Tante Selma marmonnait dans mon dos, furieuse : « Belles, dit-elle ! On ne le sait que trop ! Va falloir la marier au plus tôt, cette gamine ! Elle est capable de payer comme un homme pour admirer les nichons des hajjalat ! »

Je dressai l'oreille, brusquement intéressée : Et si je ramassais assez d'argent pour que les belles me laissent regarder leurs seins à loisir et, qui sait, leurs moules d'adulte ? Après tout, Saïd a ramassé un dirham en moins d'une demi-heure grâce à mon chaton. Je pouvais en faire autant et mieux encore.

Noura fondit en larmes quand je lui en parlai :

— *Ils te tueront, si tu le fais. Et je me retrouverai seule, en vraie hajjala, sans toi !*

— *Toi, tu commences à m'énerver. N'est pas hajjala qui veut ! Je veux juste savoir si mon sexe est aussi beau que le leur !*

— Mais qui te dit qu'elles ont de belles chattes ?

— Quand on a un visage aussi radieux, forcément le cul suit !

— Alors, c'est toi qui as le plus beau minet d'Imchouk ! Tu as même un grain de beauté dessus ! Le même que celui que tu portes au menton.

— Tu ne t'y connais pas en chattes ! Ta spécialité à toi, c'est les zizis ! Et maintenant, essuie ta morve, si tu ne veux pas que j'aille voir les putes tout de suite !

Plus tard, j'ai entendu Tante Taos tonner à l'intention d'Oncle Slimane, mis en quarantaine par ses deux épouses : « Tes hajjalat finiront mal ! C'est moi qui te le dis. » Trois mois après mon mariage, la nouvelle est tombée, telle la foudre, sur le village : Aziz, le berger, avait retrouvé l'une des sœurs dans un champ abandonné à proximité du cimetière. On lui avait brûlé le sexe et planté un couteau dans la gorge. Personne ne sut jamais qui avait commis pareille abjection. « Sans doute l'un de ses clients qui n'a pas réussi à la convaincre d'abandonner son métier », a dit ma mère, d'un air placide, lorsque je lui rapportai la nouvelle.

Je me suis sentie triste et totalement écœurée. A quoi sert la divine Providence si elle permet la mort d'une hajjala et laisse un Hmed saccager les roses en toute impunité ? Je tremblais de colère rentrée et me mordais les poings d'impuissance.

Plus jamais on n'a revu les deux autres hajjalat. On raconte qu'elles ont quitté Imchouk, un soir de déluge, prenant la direction du désert voisin. Je n'ai jamais su laquelle des deux sœurs est morte, celle qui m'a embrassée au hammam ou celle qui l'a regardée faire. Toujours est-il que jamais plus je n'ai coupé une rose. Je préfère la regarder éclore, s'embraser, flétrir puis mourir sur pied.

Aujourd'hui, dans mes rondes nocturnes près de l'oued Harrath, j'entends parfois la pierre gémir. Des gouttes d'eau en jaillissent, écarlates comme des larmes versées trop tard sur des êtres affreusement chers. J'oublie alors Driss, abandonné par la grâce, et revois ma hajjala nimbée d'or et de mystère.

Driss m'intriguait et me donnait des sueurs froides, unique et multiple, constant jusqu'à en être têtu, changeant comme du vif-argent. Souvent amoureux, galant, lyrique, prodigue de son temps et de son argent. Solitaire, cassant, égoïste, blessant et cynique la plupart du temps. Capable de pleurer sur mon épaule en me faisant l'amour et parfaitement goujat dès que je me risquais à mettre mon cœur à nu, à déposer un baiser au creux de sa main. Il lui est arrivé de se moquer de mes pieds, les traitant de « paysans » au moment même où il me déchaussait de mon michmaq pour me faire essayer des escarpins qu'il venait de rapporter de chez le meilleur chausseur de la ville. Un jour, il me trouvait trop grosse à son goût, le lendemain, trop mince. Parfois, il faisait la grève, refusant de me toucher trois semaines d'affilée, me traitant de femelle lubrique, vomissant son whisky sur le carrelage dès que je m'enhardissais à lui prendre la main pour la déposer sur mon corsage. Puis, soudain, alors que je désespérais de jamais revoir ses tétons et ses fesses, il me happait telle une tornade, me pilonnait par terre, adossée au mur, juchée sur un vieux bureau, hurlant son plaisir, me demandant de lui chuchoter des cochonneries à l'oreille. Il m'imposait ses caprices, me faisait cavaler, morte d'angoisse, à travers la ville sur un coup de téléphone au bureau, où il se disait fatigué, dégoûté, au bord du suicide. Je l'imaginais déjà mort, déjà livide, déjà rigide et voilà qu'il m'accueillait souriant, rasé de frais, parfumé, la braguette ouverte et le sexe bagarreur. Il m'aspirait la langue, me mordait les seins et les lèvres, écartait mes jambes, fichait sa pine dans mon sexe fiévreux, la faisant entrer et sortir, méthodiquement, longuement, épongeant mon désir avec le pan de sa chemise qui sentait la lavande et portait sur la poche du devant ses initiales, discrètement brodées.

Il a commencé à me parler des hommes. Puis des femmes. A suggéré, innocent comme un enfant qui récite sa première leçon, une partie à trois, puis à cinq. Je l'ai traité de fou, j'ai voulu partir de suite.

Il riait, me trouvait candide, me mettait au défi de prouver que j'avais une âme et qu'il y aurait résurrection après la mort. J'étais perplexe. Pour moi, l'âme allait de soi. C'était une évidence. Et même si je ne savais pas à quoi Dieu ressemblait exactement, j'étais convaincue qu'Il était omnipotent, omniprésent et qu'Il tenait les planètes en équilibre. J'avais la foi des charbonniers. Lui cherchait à rire, trop à l'étroit dans sa vie et triste de naissance.

Un jour, j'étais assise sur ses genoux, lorsqu'il susurra :

— D'accord, tu as une âme mais pourquoi t'affubler d'un cœur ? Tu sais ce que c'est un cœur ?

— Une pompe !

— Ah, mais c'est qu'elle s'améliore, ma bédouine ! Oui, exactement ! Une pompe. Tu me concèdes que j'en sais quelque chose.

— Je reconnais que tu es un grand médecin !

— Tais-toi, traîtresse ! Je suis le mieux placé pour savoir que, lorsque la pompe s'arrête de pomper, les êtres cessent d'exister et les corps basculent dans la pourriture.

— Les géraniums de Tante Selma ne se posent pas ce genre de questions.

Il a écarquillé les yeux, visiblement épaté :

— Que viennent faire les géraniums dans cette affaire ?

— J'aime leur couleur et déteste leur odeur, mais ils existent sans que j'aie à en décider. Ils doivent bien avoir une âme, eux aussi, même si je ne la vois pas.

— Tu veux dire un sens. Et mon sexe ? Est-ce qu'il a un sens à tes yeux ?

— Driss, tu me fais peur. Parfois, je me dis que Dieu et toi, vous êtes pareils. Trop de pouvoir ! Trop de séduction ! Je t'aime tellement que faire l'amour avec toi me paraît la seule prière capable de monter jusqu'au ciel et de s'inscrire sur le registre de mes actions valables et défendables aux yeux de l'Eternel.

Il a éclaté de rire :

— Tu frôles le chirq [1], ma petite fille ! Fais attention à ne pas te brûler les ailes ! Ah, ma païenne, ma païenne chérie, mon trésor, ma pute immaculée, mon enfant sans peur !

Je savais que j'étais dans le paganisme, que ma foi fichait le camp entre mes jambes, terrorisée que des corps puissent se donner tant de plaisir. Je savais que j'avais franchi une ligne divine après une ligne sociale qui, elle, ne m'avait rien coûté. Je savais que je redevenais, sous les mains de Driss, une créature d'avant Jésus, d'avant le Coran, d'avant le Déluge. Que je m'adressais, désormais, directement à Dieu, sans livres ni messies, sans halal ni haram, sans linceul ni sépulture. Je l'avais deviné un matin où, partant au bureau, je priai Dieu d'accepter que Driss me refasse l'amour

1. *Chirq* : polythéisme.

le soir même, après deux mois de disette. Dieu a exaucé mon vœu puisque Driss m'a appelée à quatre heures, tout sucre, tout miel, me disant que je lui manquais à mourir et qu'il m'emmenait dîner dans l'un des restaurants les plus cotés de la ville.

Toute mon enfance, je n'ai eu qu'à célébrer les saints, assister aux moussem et voir le sang des béliers se répandre sur le sol pour la gloire d'un inconnu nommé Moulay[1] Untel. Avec Driss, j'ai su que mon âme s'abritait entre mes jambes et que mon sexe était le temple du sublime. Il se disait athée. Je me disais croyante. Foutaises que tout cela ! Par amour pour Driss, j'ai accepté de jouer aux échecs avec Dieu. Lui faisait les ouvertures. Magistrales. Moi, je construisais ma défense autour d'un fou, d'une tour et de la reine que je n'étais pas. C'est drôle : je n'ai jamais fait cas du roi. Je crois que Dieu adore Ses amants qui, même dans la mort, continuent à se prosterner devant Sa gloire. Je crois que Dieu nous aime au point de veiller sur notre sommeil quand bien même nous ronflerions.

1. *Moulay* : équivalent de Monseigneur. Titre accordé aux personnalités de haut rang, aux grands religieux, aux saints et aux marabouts.

Mon homme voulait qu'on sorte, qu'on aille au théâtre, au cinéma, au country club, que ses amis nous reçoivent en couple, tout comme ces cercles bizarres dont il me parlait, où tout, précisait-il, pouvait se dire et où tout pouvait arriver. J'acceptai d'y aller avec lui, rageuse et complètement réfractaire à la foule et aux alcools. C'est là qu'il a commencé à me perdre. C'est là que je l'ai perdu.

Driss me savait amoureuse et jouait de mon désir. Lors de ces soirées, il adorait humer la nuque d'une fille, serrer une autre par les hanches, poser des bises sur une tempe ou pincer ostensiblement une fesse pleine. Il ne me touchait jamais en public et feignait de ne pas voir ma rage ni les balles que je logeais dans la peau de ses minettes. Les éclairs brûlants qui me traversaient le ventre chaque fois qu'il se trouvait à moins d'un mètre de moi me remplissaient de larmes et d'exaspération.

Un soir, il m'emmena chez deux dames dont il me révéla le nom sur le palier, au quatrième étage d'un immeuble huppé de l'avenue de l'Istiqlal. Il se fit servir du vin français, dépouilla une grappe de raisin de ses fruits, raconta deux ou trois blagues, puis se dit en mal d'amour. Cinq minutes après, il tenait sur ses genoux Najat, une bigleuse au corps de déesse, et lui pelotait les seins sans vergogne. J'avais des envies de meurtre à entendre Saloua, sa compagne, rire et l'encourager :

— Dégage son nichon gauche. Vas-y, mords-lui le téton. Pas trop fort quand même. Lèche, mon vieux, lèche ! Najat adore se faire sucer. Ne t'inquiète pas, elle est déjà trempée. Mets-y juste un doigt pour vérifier si je mens. Oh, Driss, aie pitié de ma femme ! Elle est trop ouverte, trop large ! Mais elle sent bon ! Je sens ton exhalaison, oh, mon amour chéri, ma vulve adultère ! Ouvre-toi et que Driss voie, enfin, l'énorme con qui tyrannise mes nuits et remplit mes jours du foutre d'une femme. Hé, Driss, Najat n'aime les hommes que lorsque je la regarde faire. Elle me dit que, chaque fois qu'elle se fait mettre par un homme sous mes yeux, mon clitoris gagne un centimètre de plus. Elle croit dur comme fer qu'à force de m'aspirer la chatte entre les lèvres tous les soirs, je vais me retrouver avec une pine entre les jambes, juste pour la baiser jusqu'à la matrice, dit-elle, et la débarrasser des hommes à tout jamais. Bon, tu te bouges, Driss, ou je prends ta place ? J'ai envie de ma femme, sale toubib qui bande pour deux lesbiennes en couple !

Je me suis levée, presque digne, presque maîtresse de moi-même. Je n'avais rien à faire dans cet appartement, au milieu de cette triade libertine. Ce n'était ni mon monde, ni mon homme, ni mon cœur que je voyais là. Alors je suis partie. Tout autour de moi, Tanger sentait le soufre. Je voulais tuer.

Driss ne m'a revue que deux semaines plus tard. Il n'a pas cherché à s'excuser, s'est assis en face de moi et, désignant le tapis jonché de bibelots et d'éditions rares, a dit :

— C'est un héritage de ma grand-mère, riche

comme Crésus, injuste comme la blondeur des blés qu'elle humait, appuyée sur sa canne à pommeau d'argent, au milieu de ses champs mûrs et lascifs en plein mois de mai. Elle tenait à avoir dans son grand lit à baldaquin des gamines de quinze ans, largement nubiles, les seins durs comme des obus, le sexe charbonneux et docile. Elle m'adorait et se cachait à peine pour sucer la langue de ses paysannes rebondies comme des melons ou martyriser leurs seins lourds comme des épis. C'est d'elle que je tiens mon amour des femmes. Elle obligeait ses courtisanes à porter culotte et elle les gardait pour moi, enfermées comme un secret dans une boîte d'argent richement ouvragée. « Sens-moi ça, sale garnement », disait-elle en m'offrant un slip légèrement maculé du bout de sa canne en ébène. Je reniflais religieusement la relique, jeune chiot fou et impatient. « Va te laver, maintenant et ne laisse pas les hommes te mettre la main au derrière. Ils ne savent pas vivre, ces paysans. Ils sont sans pitié pour les roses et les rosaces et, bien entendu, pour les agneaux de ton âge. »

« Une nuit, j'ai voulu voir et savoir. La porte de la chambre à coucher de Grand-Mère était entrouverte, le couloir désert. La jeune Mabrouka était assise sur son visage et ahanait, cheveux défaits, la croupe petite et danseuse. Préservant l'hymen de la gamine écervelée, un doigt aristocrate labourait, connaisseur, ses fesses vierges tandis que le sexe se collait contre la bouche de la vieille dame digne, au chignon impeccable et gris. Quand Mabrouka s'est affalée, vaincue et comblée contre les seins de ma grand-mère restés fermes malgré son âge, celle-ci s'est tournée vers la porte où je me tenais, gamin et déjà homme, et m'a lancé un clin d'œil. Elle savait que j'étais là. Je me suis retiré, gluant et admiratif devant tant d'audace. Le pouvoir de la vieille dame sublime me subjugue aujourd'hui encore.

Elle a richement doté Mabrouka, l'a mariée à son métayer le plus dur à la tâche. C'est elle qui est allée, la première, recueillir le linge maculé du sang de sa virginité, au lendemain des noces. Elle a déposé un baiser sur le front de la jeune épouse et glissé un bracelet en or enfoui dans un foulard sous son oreiller. J'étais là, encore une fois, debout, dans mes culottes courtes en velours côtelé, un nœud papillon ridicule noué autour du cou. Je regardais Grand-Mère ordonner le monde après Dieu, sereine et pleine de sa science des cœurs, des cours du blé et de l'orge.

« "Lalla Fatma, geignit la jeune Mabrouka. — Chut, coupa Grand-Mère. La douleur va passer et tu vas aimer Touhami, lentement. Tu dois lui donner plein d'enfants, ma fille. Tu seras une épouse parfaite, tu verras." Ce jour-là, je compris que nos amours sont des incestes répétés et qu'entre les corps il ne devrait pas exister de cloisons. Tu ne le sais peut-être pas ?

Si, je le savais. Tous les corps connus avant m'avaient servi à cela : abattre la cloison entre Driss et moi. Ils étaient de passage, un apprentissage puéril et maladroit. Je voulais le lui dire, mais j'ai eu peur qu'il ne me croie maculée de baises laides et hâtives alors que jamais avant lui je n'avais vraiment baisé. Ni aimé. Et que je ne voulais pas le tuer.

Naïma, la comblée

Parce qu'elle nous interdisait les hommes, Imchouk nous poussait inévitablement dans les bras des femmes, proches ou voisines, sans distinction. Elle faisait de nous des voyeuses aussi. J'ai vu Naïma se marier.

Je venais d'avoir douze ans lorsque l'épouse du marchand de beignets est venue frapper à notre porte, demandant la main de ma sœur pour son fils Tayeb. Il venait de décrocher ses galons de gendarme, ce qui conférait à la famille une autorité que des siècles d'huile de friture n'avaient pu assurer. La mère demanda au jeune homme de sillonner le village coiffé de son large képi, le pas martial et le menton hautain, les bras pendant le long de son corps efflanqué. « C'est le meilleur spectacle qu'on ait eu depuis que les Roumis se sont taillés du bled ! a ricané le potier. — Sauf qu'il aurait dû habiller sa mère et ses sœurs en majorettes pour faire bonne mesure », a repris Kaci, le tenancier du bar des Incompris.

Ces railleries ne sont pas parvenues à mon père que l'uniforme impressionnait au plus haut degré. Depuis l'indépendance, il ne demandait qu'à troquer les djellabas qu'il taillait d'un coup de ciseaux dépité contre ces uniformes aux plis multiples, ornés de sangles, de martingales, de fermetures Eclair et de boutons dorés.

Hélas, jamais la gendarmerie ne lui a passé commande pour habiller ses officiers en papier mâché.

Ma mère a permis à Tayeb de passer une fois par semaine pour parler avec sa promise des préparatifs du mariage. Elle s'est toutefois arrangée pour être toujours présente entre les deux fiancés. Les soirs de trop grande fatigue, n'osant pas mettre dehors le fils du marchand de beignets, elle chargeait Ali de faire le vigile. Assis entre Naïma et son gendarme sur la banquette du salon, il surveillait la vertu de sa sœur, du haut de ses onze ans, fier et appliqué.

Un soir où je m'étais couchée juste après dîner, l'étrange et grand silence qui régnait sur la maisonnée m'a réveillée. Mon père ne ronflait pas et le bois avait cessé de travailler. Je me suis levée et j'ai foncé pieds nus vers le salon. Le spectacle était hallucinant. Les deux fiancés se battaient par-dessus la tête d'Ali endormi. J'ai ensuite pris conscience que Naïma avait le haut de sa robe dégrafée. Son gendarme lui triturait les seins qu'elle tentait désespérément de remettre dans son corsage. Je me suis retirée sur la pointe des pieds, étouffant un rire nerveux. Voilà, il suffit d'une paire de seins pour que le monde perde raison et oublie toute prudence. La vigilance de ma mère venait d'être royalement cocufiée.

Voyeuse et trop bien entendante, je l'ai été aussi pleinement le jour où Naïma m'a invitée chez elle, dans la petite ville de Fourga, là où son mari a été muté quelques mois après leur mariage. Les voitures étaient des engins rares à Imchouk et il fallait se résoudre à monter sur des tracteurs ou des charrettes pour les longs déplacements. Le père de Tayeb se proposa de m'y emmener à dos d'âne et ma mère a accepté sans difficulté.

Chouikh considérait que son unique et seule fortune résidait dans son âne égyptien, une bête au poil doré, prisée dans toute la vallée, les flancs rembourrés et l'œil aussi vicieux que celui de son propriétaire.

Il me cala contre son dos et me demanda de bien l'agripper par la taille. Il n'arrêta pas de chantonner, m'ignorant tout au long du trajet, ne m'adressant pas le moindre compliment sous prétexte qu'il était devenu notre beau-père. Mes pieds balançaient, cognant joyeusement les flancs de l'âne, malgré la pluie qui n'a cessé de tomber et qui nous a trempés jusqu'aux os.

J'étais contente de revoir Naïma. Ses rires me manquaient comme ses babillages de future mariée.

Dans son appartement minuscule au carrelage noir et blanc, Naïma marchait pieds nus. Son henné avait perdu son rouge ocre pour devenir gris comme le ciel de Fourga. Mais sa peau semblait plus lumineuse et ses gestes plus lents, comme indolents. Sa démarche avait changé, elle aussi. Elle roulait le bassin d'une façon que je ne lui connaissais pas. J'ai fixé ses jambes, Noura m'ayant confié qu'une des conséquences du mariage était d'élargir l'entrecuisse des nouvelles mariées dont les jambes deviennent arquées. Mais Naïma ne semblait pas souffrir d'une telle anomalie.

A la fin de la journée, mon beau-frère est rentré, sanglé dans son uniforme. Nous avons dîné tous les trois à la même table. Chez nous, papa prend toujours ses repas seul. Le couscous au poulet expédié, Tayeb a bâillé puis s'est dirigé vers la chambre. Naïma m'a annoncé que j'étais obligée de dormir avec eux, la cuisine étant infestée de cafards. Elle a étalé trois grosses couvertures sur le sol et m'a glissé sous la tête l'un des coussins du canapé. « Allez, dors maintenant. »

Je ne sais pas si c'est la joie d'avoir revu ma sœur ou le fait de changer de lit, mais j'ai eu du mal à m'endormir. J'y réussissais à peine lorsque le lit a *commencé à grincer. De drôles de bruits ont suivi les craquements du bois neuf.*

Le mariage, je le savais, est aussi une affaire de sexe, même si l'on s'acharnait à nous faire croire le contraire. Si l'on s'échine à marier filles et garçons, à dépenser des fortunes en dots et trousseaux, à célébrer les noces à grands frais, c'est juste parce que les hommes et les femmes ont peur du noir et qu'ils ont besoin de compagnie. S'ils s'enferment dans une chambre, c'est simplement par habitude. S'ils dorment ensemble dans le même lit, c'est juste pour se tenir chaud. Si les femmes tombent enceintes, c'est que telle est la volonté de Dieu. Et si elles se font belles le soir, une demi-heure avant que les maris rentrent des champs ou des ateliers, c'est juste pour les accueillir sur le pas de la porte, ornées de khôl et de henné. Eh bien, non ! Le mariage, cette grande affaire, c'est cela aussi : les grincements d'un sommier qui montent crescendo, les soupirs bruyants du beau-frère, la docilité de ma sœur qui ouvrait les jambes sans protester. Le mariage, ce sont ces ordres de propriétaire, brefs et précis : « Ouvre-toi », « Tourne-toi », « Allonge-toi ». Il est ces mots chuchotés, hallucinés et terrifiants de vérité : « C'est brûlant », « Oui, tète-moi », « Ah, je t'aime comme ça ».

Naïma n'avait pas besoin de parler. Son mari racontait son plaisir et le sien, tandis que les grincements se confondaient avec leurs ahanements étranglés. Il y eut soudain un long et profond soupir. C'était Naïma qui rendait l'âme. Une sorte de nausée mêlée à des crampes a secoué mon ventre. Les yeux pleins de larmes, j'ai compris combien je haïssais Naïma. J'aurais voulu être à sa place, sous le pubis de Tayeb.

Le lendemain, en lui disant au revoir, j'ai évité de la regarder dans les yeux. Sur le chemin du retour, je n'ai cessé de serrer les dents et les poings, me disant qu'un jour je ferais moi aussi grincer des lits immenses comme les champs d'Imchouk. Je ferai hurler mon mari de plaisir, tant mon con sera torride, mordant comme les vagues brûlantes du chergui, serré tel un bouton de rose. Ainsi me l'avait promis Driss lors de sa première apparition sur le pont de l'oued Harrath.

Dans la pénombre de l'appartement de Driss, les siestes avaient un goût d'orgeat et de pastèque. Mon amant lisait, nu, allongé sur un vieux tapis persan et je rêvassais, la tête posée sur sa cuisse, couchée en diagonale. Il s'esclaffait quand une phrase polissonne lui confirmait ses partis pris libertins.

— Ecoute celle-ci : « Un con a plus besoin de deux bites qu'une bite n'a besoin de deux cons. » Bravo ! C'est bien raisonné et superbement dit ! Celle-là aussi, elle est bien bonne : « Chaque con porte, dès la naissance, les noms de ses baiseurs. » A la bonne heure !

Les Omeyyades de Damas, les Abbassides de Bagdad, les poètes de Séville et de Cordoue, les ivrognes, les bossus, les putes, les saltimbanques, les lépreux, les assassins, les opiomanes, les vizirs, les eunuques, les pédés, les négresses, les Saldjukides, les Turkmènes, les Tatars, les Barmakides, les soufis, les Kharidjites, les vendeurs d'eau à la criée, les cracheurs de feu, les dompteurs de singes, les laissés-pour-compte et les bêtes à pleurer couraient à travers les chambres, hurlaient sous la torture, grimpaient aux rideaux, pissaient dans les verres de cristal et répandaient leur foutre sur les coussins brodés au fil d'argent. Je voyais Driss leur intimer de se taire, leur faire traverser des cerceaux en flammes, les paumer en plein désert et les récupérer, pleins d'escarres et de poux. Je le voyais manger des figues fendues par le soleil et des poires bicolores, rêvant de partouzes habillées de brocart. Il avait les Saloua et Najat à sa botte. Moi, je n'avais que lui à adorer.

Elles se sont pointées le soir où il m'a arrosée de champagne, décidé à me lécher des pieds à la tête, cueillant son ivresse dans mon nombril. Je sentais l'orgasme monter quand elles ont sonné à la porte, légèrement ivres et maquillées comme pour une fête. J'ai eu juste le temps de me couvrir d'un drap avant qu'elles ne s'installent et n'allument leurs cigarettes. Saloua avait le regard salace, ayant deviné ma nudité comme ma contrariété. Driss ne prenait même pas la peine de cacher son érection.

— Ma parole ! Ta femme ne laisse plus rien aux autres ! Et tu ne te lasses pas de la travailler ! Tu n'as pas envie de limer ma femme, pour changer ?

Saloua m'horrifiait mais, curieusement, son langage m'excitait. Elle parlait comme un homme. Dans son coin, Najat avait déjà dégrafé son soutien-gorge et Driss attendait la suite, le sexe saisi de tressautements impatients. Une coulée de lave et de désir m'a balayé le ventre et la tête.

Je me suis enfermée dans la salle de bains. Avant de me rhabiller, je me suis regardée dans la glace. J'y ai vu une femme échevelée, aux yeux hagards. Je me suis pris le clitoris entre deux doigts, debout, blessée par la morsure du désir, un pied sur le rebord de la baignoire, l'autre ployant sous la violence des sensations. Enflé et douloureux, il battait tel un cœur affolé. J'avais les doigts gluants d'un liquide transparent qui sentait le clou de girofle. Malgré mes efforts, je n'ai pu jouir. J'étais trop en colère. Trop amoureuse et trop sérieuse, aussi. La tête remplie d'encre, j'ai essayé de dégager mon clitoris, ma seule parade, de son écrin de poils, juste pour voir de quoi il était capable. Eh bien, il n'était capable de rien ! Il était là, rouge et dérisoire, exigeant la langue de Driss pour se raidir et son sexe pour entrer en transe.

De retour au salon, j'ai vu le sourire en coin de mon homme, infâme. Comme s'il avait deviné l'urgence qui m'avait saisie et m'avait fait quitter le salon plein de rires éraillés. Comme s'il savait que je n'avais eu aucun plaisir à me tripoter. Il embrassait à pleine bouche Najat, l'amante en titre de Saloua, la main enfouie entre ses cuisses. Saloua était affalée sur le sofa. Le dos calé par les coussins, elle fumait, faussement distraite, presque endormie. Plus tard, je sus que sa pipe était bourrée de haschisch, fourni par Meftah, le nabot gardien de son immeuble.

J'ai remis le disque d'Esmahan. *« Imta ha taarif imta, inni bahibek inta... »* Les crachotements défiguraient la voix de la chanteuse libanaise, égyptienne d'adoption, morte trop tôt dans un accident de voiture. Je me suis mise volontairement à côté de Saloua pour lui signifier qu'elle ne m'impressionnait guère, et fumai, les yeux fermés, ma troisième cigarette. Je ne voulais pas voir Driss taquiner les mamelons de Najat ni deviner que son doigt s'était déjà frayé un passage dans son intimité. J'ai sursauté quand je l'ai entendu distinctement dire : « Tu ne mouilles pas. Je vais y aller avec ma salive. »

Saloua a posé ostensiblement sa main, lourde comme du plomb, sur mon genou. « Non », ai-je dit, en me levant. Non, je me suis répété en remontant du boulevard de la Liberté vers la maison de Tante Selma. Non, ai-je répliqué à ma tête qui me soutenait, embrumée, que l'amour ne présentait jamais de factures et ne rendait pas de verdict. Non, ai-je hurlé dans mes rêves à Driss qui me disait que c'était un jeu et qu'il n'aimait que moi. A mon réveil, je me suis dit que Driss était une souricière et qu'il fallait m'en échapper. Je savais que, si je décidais d'être le fossoyeur de cet amour, il fallait aussi que j'accepte de porter son cadavre, d'errer quarante ans dans le désert, puis de reconnaître, vaincue, que de cadavre, je ne trimballais en fait que le mien.

Hazima, la camarade de chambrée

C'est le lycée qui a mis Hazima dans mon lit. Ou plutôt le pensionnat qui bruissait des toilettes de fille, leurs manies, leurs rites d'hygiène et leurs chamailleries. Chez moi, ma mère n'a jamais porté de jupe ni de soutien-gorge. Et j'admirais ces effets. Je confondais ainsi toilettes et corps et, en désirant les premières, je n'avais aucun scrupule à admirer les seconds. Ces peaux neuves, ces poitrines qui pigeonnent, ces croupes qui saillent de l'enfance pour se faire une place en plein soleil, tout cela me rendait follement curieuse et vaguement envieuse.

Une nuit, Hazima, la plus belle fille du pensionnat, la plus effrontée aussi, a soulevé les couvertures et s'est glissée dans mon lit.

— Réchauffe-moi le dos, m'a-t-elle ordonné.

Je lui ai obéi. Trop mécaniquement à son goût puisqu'elle a protesté :

— Doucement ! Tu ne cardes pas de la laine, que je sache.

J'ai caressé sa peau, la paume moite et ouverte. C'est vrai qu'elle était soyeuse. Son satin frissonnait sous mes doigts et les grains de beauté ondulaient sous leur passage.

— Plus bas, dit-elle.

Je suis allée jusqu'à la cambrure des reins. Elle restait raide immobile. Puis je me suis dressée, appuyée sur le coude et me suis penchée pour la regarder. Elle dormait à poings fermés.

Cela recommença le lendemain, et les jours suivants. Elle s'assoupissait chaque fois ou faisait semblant. Un jour, elle s'est tournée subitement et m'a offert sa poitrine qui pointait à peine. Je suis allée d'un sein à l'autre en frissonnant. C'était comme si une autre main caressait ma propre poitrine. Je me suis enhardie un autre soir et j'ai glissé un doigt dans son sexe à peine poilu. Elle s'est soudain arquée, prise de convulsions et j'ai dû étouffer de la main ses gémissements de mourante. Hazima était meilleure que Noura, plus grave, plus fruitée.

Au fil des jours, mes rendez-vous nocturnes avec Hazima sont devenus quotidiens. Nous prétendions dormir ensemble « pour nous réchauffer », sans que cela étonne la chambrée. Devenue adulte, j'ai souri à l'idée que le dortoir n'ait été, au bout du compte, qu'un froufroutant lupanar et ce, sous le nez des surveillantes et à la barbe du règlement interne.

En classe, je m'ennuyais à mourir, les études me paraissant un exercice plus profitable aux citadins qu'à la rurale que j'étais. Difficile de convertir une descendante de générations analphabètes et fières de l'être aux mérites du savoir ! Devant mon indolence, mes professeurs prenaient des airs courroucés mais je n'avais aucune envie de leur plaire. Je passais mon temps à regarder les nuages défiler et à attendre Hazima.

Pourtant, nous nous sommes quittées, Hazima et moi, à la fin de l'année, sans mots, sans larmes ni serments. A notre âge, aimer n'avait aucune résonance et tripoter quelqu'un du même sexe ne prêtait pas à conséquence. Le sexe est un ib, une indécence qui ne se commet qu'entre hommes et femmes. Nous ne faisions, Hazima et moi, que nous préparer à l'accueil du mâle.

Mon corps, de son côté, changeait à une allure si vertigineuse qu'il me semblait impossible à rattraper. Il s'allongeait, s'étirait, s'enrobait et s'arrondissait même dans mon sommeil. Il ressemblait à ce pays qui se disait mien, neuf et piaffant d'impatience, fraîchement séparé de ses colonisateurs sans en être le divorcé. Des usines de textile ouvraient au Nord, menaçant mon père de ruine, et de jeunes hommes, fraîchement repus et instruits, commençaient à trouver la campagne ingrate, trop étroite pour leurs têtes farcies d'équations, de slogans socialistes ou de rêves pan-arabistes.

Je suis devenue curieuse de mon corps, après l'avoir été exclusivement de mon sexe. Je détaillais mes pieds que je trouvais trop plats, me consolais en admirant mes attaches fines et mes doigts effilés, un héritage de ma mère. Ma poitrine gonflait, pleine de sève, insolente. Un duvet soyeux avait recouvert mon sexe si dodu qu'il débordait parfois de ma culotte. Il remplissait désormais la main et cognait contre ma paume comme le dos d'un chat qui s'étire. J'avais la peau douce sans être délicate, ambrée sans être brune. Mes yeux, de couleur presque jaune, accrochaient les regards. Tout comme le grain de beauté que j'avais sur le menton. Mais, plus que le visage, c'est mon corps qui criait sa beauté scandaleuse.

C'est mon con qui a mis fin à mes études, Hmed le notaire bavant d'impatience de le posséder.

Il n'en a eu que l'écorce, la pulpe s'étant réservée pour les dents et la verge de Driss.

Fuir. Couper avec Driss. Oublier le désir. Abjurer le plaisir. Admettre la peur. La regarder dans les yeux. Deux chiens de faïence. La terreur d'aimer. Celle de mouiller. Vomir et s'admettre perméable à la jalousie. A la haine. Ne jamais s'avouer capable de suivre Driss dans ses frasques et caprices. Ne pas tourner autour du pot de crainte d'y tomber. Je suffoquais et refusais de prendre mon amant au téléphone.

Il a fini par me coincer, m'a embarquée de force dans sa DS noire et emmenée dîner sur le port. Je refusai de toucher aux rougets et aux crevettes. Lui se soûlait méthodiquement à la bière.

— C'est elles ou moi !

— C'est toi et elles à la fois, sans discuter.

— Je ne suis pas ta chose ni la bonne à tout faire. Je n'ai pas fui Imchouk pour que tu me transformes en serpillière.

— Tu as fui Imchouk parce qu'elle ne te suffisait plus. Parce que je te manquais et que tu me voulais.

— Ce n'est pas toi que je cherchais.

— Oh, que si ! Moi et rien que moi. Avec mes tares et ma bite qui bande de travers.

— Je ne t'aime plus.

— C'est pas ce que dit ton con quand j'y suis.

— Il ment.

— Jamais un con n'a su mentir.

Je jetai des regards affolés tout autour, de peur qu'un des serveurs n'entende Driss me débiter ses gros mots. Heureusement, nous étions seuls sous la pergola, la fraîcheur de l'air marin ayant découragé les autres clients qui avaient renoncé à s'installer sur la terrasse.

— Tu rentres avec moi ce soir.

— Non.

— Ne m'oblige pas à crier.

— Ne m'oblige pas à te regarder faire l'amour à ces deux traînées.

— Je ne fais l'amour qu'avec toi !

— Tu te moques de moi !

— Ouallah, là ! Tu ne comprends rien. Tu ne comprends pas !

— Que veux-tu ! Je ne suis qu'une paysanne et toi un féodal trop compliqué !

— C'est ça qui te gêne ?

— Ce qui me gêne, c'est que tu n'as aucun respect pour moi !

Il a commencé à hurler. Je me suis levée pour partir. Il m'a rattrapée sur la route. Je suis montée dans la voiture sans un mot, oppressée. Il roulait à tombeau ouvert. La barrière du passage à niveau commençait à baisser et on entendait le sifflement strident d'un train qui débouchait à notre droite. Il a appuyé sur l'accélérateur en lançant : « Maintenant ! » La lumière aveuglante du train m'a réveillée. J'ai crié :

— Non ! Non, Driss ! Ne fais pas ça !

Nous avons percuté la barrière et la voiture a rebondi sur les rails dix secondes avant le passage du train. Un brusque coup de volant nous a envoyés dans les fourrés, à deux mètres de la lagune. Les fils à haute tension rougeoyaient par-dessus nos têtes, menaçants. Je sais, depuis, à quoi ressemble l'Apocalypse.

Je n'ai pas pleuré. Je n'ai pas bougé. Le front contre le volant, Driss respirait fort en reniflant. J'ai ouvert la portière après une éternité. J'ai commencé à me griffer le visage, des tempes jusqu'au menton, comme j'avais vu toutes les femmes de ma tribu faire quand leur chagrin crevait le cœur du ciel. Chaque blessure faisait monter ma mélopée d'un ton :

— Pour tes putes. Pour ma honte. Pour ma perdition. Pour t'avoir connu. Pour t'avoir aimé. Pour Tanger. Pour la baise. Pour ta bite. Pour mon con. Pour le scandale. Pour rien.

— Je t'en supplie, arrête ! Arrête, je te dis ! Tu vas te défigurer !

J'avais du sang jusqu'aux coudes.

— Ramène-moi chez Tante Selma, lui ai-je dit, épuisée.

Il m'a essuyé le visage et les bras avec un pan de sa chemise, roulé jusqu'au dispensaire le plus proche d'où il est ressorti avec des fioles et des compresses. Je me suis endormie entre ses bras, les joues badigeonnées d'iode et de crème cicatrisante.

Je n'ai pas mis le nez dehors durant une semaine où j'ai été son enfant, sa grand-mère et son con. Chaque fois que je le chevauchais, je voyais son cœur, un ciel où filaient des comètes à la queue enneigée, un buisson ardent fiché au centre tel un dragon. Driss délirait sous les morsures de mon vagin, trempé de sueur : « Ton con ! Ton con, Badra ! Ton con m'a perdu ! »

Au bout de la nuit et de ma solitude définitive, couverte de sel et de sperme, je lui ai dit :

— Maintenant, je peux te regarder baiser les putes sans pleurer.

Nous sommes allés chez les lesbiennes comme deux chats siamois qui miaulent une faim menteuse. Najat nous a ouvert la porte, en peignoir. L'air sentait le Chanel N° 5 et l'orgasme féminin. Saloua était dans le salon, blanche et nue, la culotte ostensiblement jetée sur un bras de fauteuil.

Elle m'a regardée, amusée, un peu méprisante.

— Il nous arrive, à nous aussi, de nous enfermer trois jours de suite pour nous en payer une tranche. Mais, tu vois, on n'est pas sectaires ! Nous accueillons toujours Driss à jambes ouvertes. Vin ou champagne ?

— De l'eau, lui répondis-je.

Najat servit son whisky à Driss, déposa une carafe d'eau, un verre à pied et un plateau de fruits devant moi.

Saloua a remis son slip, enfilé une robe d'intérieur en soie. Elle a allumé sa cigarette, avalé une lampée de son verre de vin rouge, puis s'est assise à ma gauche, entre Driss et moi.

— Badra, tu es belle, mais gourde ! Gourde à se coller des claques. Tu crois être la seule à aimer. Mais sais-tu aimer, d'abord ?

— Ce que je sais ou fais ne te regarde pas.

— Cela va de soi. Mais admets que d'autres

puissent avoir les mêmes sentiments que toi sans avoir les mêmes comportements.

— Je ne veux pas faire comme les autres.

— Parce que nous nous faisons payer, tu crois que Najat et moi sommes des brutes et des putes. Etre une pute ne signifie pas ne pas aimer son métier. Ne pas aimer tout court. Moi, j'aime les hommes. Najat a appris à les accepter. Et parce que je l'aime, baiser avec elle m'est plus doux que de me faire tringler par Farid el-Atrach lui-même.

Elle recommençait à m'horripiler malgré mes bonnes résolutions.

— Je sais que tu es là à cause de Driss.

Elle avait mis dans le mille et le savait, au silence de Driss et à mes mâchoires crispées. Najat, elle, se refaisait les ongles en sifflotant.

— Je suis comme le vin, Badra ! Un jour ou l'autre, tu y viendras juste pour savoir ce que ton homme y trouve.

Elle s'est collée à moi. « Ne me touche pas », lui ai-je dit. Driss s'est levé et a regardé Tanger à travers les rideaux. Elle s'est soulevée à demi et, traîtresse, m'a bloquée sous elle. Par deux coups de reins, elle a ajusté son sexe au mien et a commencé à me masser le monticule d'un mouvement aussi ample que précis. Le souvenir de Hazima a brillé brièvement sous mes paupières closes, comme un tison. Mon cœur battait à tout rompre. Je ne m'attendais pas à cela. Atterrée, j'ai senti mon sexe réagir. Il pulsait contre celui de Saloua, affolé de désir. Sans comprendre ce qui m'arrivait, j'ai senti son médium s'enfoncer en moi. De sa main gauche lourdement baguée, elle a étouffé ma protestation. Pendant une minute, j'ai subi le viol brûlant de son doigt qu'elle a gardé rigide et conquérant dans mon sexe béant et mouillé. Je n'étais plus vierge mais je tremblais de la même colère et de la même honte. En un éclair, j'ai vu

Driss se pencher sur Najat. Le renflement de sa braguette était éloquent. Mon deuxième homme m'abandonnait. Lui aussi me livrait au viol, cette fois-ci par des mains anonymes et dénuées d'amour.

— Lâche mon amante, Driss, a enfin crié Saloua, exhibant le doigt luisant qu'elle venait de retirer de mon corps. C'est celle-là qui te veut. Je ne suis pas folle pour croire qu'elle mouille pour moi. Viens la sauter et qu'on en finisse ! Sinon, sur la tête de Dada, je me la fais, là sous tes yeux. J'ai le clito dressé et son sexe me tète sous la culotte, comme une bouche de nourrisson. Mon gars, ton manche ne doit pas s'ennuyer à la fouiller, celle-là, a-t-elle décrété, léchant, gourmande et sardonique, son médium violeur.

De la braguette défaite de Driss émergeait un tison rougeoyant. Une goutte perlait à la crête épaisse. Bêtement, je pensai pour la énième fois que le tahhar lui avait taillé une belle bite. Il s'est planté, seigneurial, devant moi et je l'ai pris, honteuse et chienne, entre mes lèvres. C'est lui qui m'avait appris à sucer correctement une bite. Je mouillais à en oublier le jour du Jugement. Je mouillais et priais le Seigneur : « S'il Te plaît, ne regarde pas ! S'il Te plaît, pardonne-moi ! S'il Te plaît, ne m'interdis pas de fouler Ton Royaume et d'y prier encore une fois ! S'il Te plaît, délivre-moi de Driss ! S'il Te plaît, dis-moi que Tu es mon Dieu unique qui ne m'abandonnera jamais ! Je T'en supplie, Seigneur, sors-moi des Enfers ! »

A ma gauche, Najat mordait en hurlant le doigt sacrilège de son amante qui riait.

— Pas elle ! Pas une femme ! hurlait Najat.

Une gifle retentissante a calmé son hystérie d'amante bafouée. Dans ma bouche, Driss avait un goût de sel et son sexe était de velours. Je caressais, aimante et enivrée, ses bourses, qu'il avait petites et dures, ramassées en une contraction de plaisir évidente. Il ne disait mot, se contentant de regarder mes lèvres coulisser et ma salive couler le long de sa hampe. Contre ma prière, j'ai vu Dieu me voir et maudire la souffrance bête que seuls les humains savent s'infliger. Je L'ai vu maudire les violeurs d'enfants, bannir Satan de Sa clémence, lui promettre de le vaincre, de l'humilier, de le faire défiler un jour devant la Création entière pour que la Création demande pardon qu'une telle créature ait pu exister puis de l'enchaîner en enfer, sans que le Mal puisse rire ni pleurer.

Les seins dressés, le regard éperdu, Najat se laissait ouvrir par les doigts féroces de Saloua. Bientôt, c'est toute la main qui a pris possession de son corps écartelé en un râle de désir amer et ouvertement amoureux : « Tu n'es qu'une pute. Ma pute chérie jamais satisfaite », roucoulait Saloua. Son nez taquinait le clitoris dressé tel un petit drapeau violacé, tandis que sa main labourait le corps liquéfié de sa maîtresse dont je voyais le ventre se plisser sous les vagues successives du plaisir. Driss me soutenait la nuque tandis que je le pompais et je me demandais s'il allait m'éjaculer dans la gorge quand il m'a relevé la tête, tendre et complice. Il a murmuré : « Ne t'arrête pas, s'il te plaît. Ta langue... Tes lèvres... Dis-moi que tu mouilles. » En vérité, j'étais inondée, mais je me refusai à le lui dire. Najat délirait, les yeux révulsés : « Maintenant, maintenant ! Oh, amour, achève-moi. » D'une rude secousse, Saloua a retiré sa main. Najat a hurlé. Se dégageant prestement de ma bouche, Driss s'est planté, d'autorité, dans sa bouche. Interloquée, j'ai vu Saloua écarter les fesses de l'homme que j'aime et lui loger la langue dans l'anus. Quand les flots de sperme ont fusé de la verge que j'aime dans la bouche de ma rivale vénale, j'ai crié à mon tour, la raison définitivement chavirée.

Au bureau, je ne faisais pas grand-chose, comme jadis à l'école. Je me contentais de poser les mains sur le clavier de la vieille Olivetti et regardais l'immeuble d'en face, idiote et sénile avant l'âge. La pluie tombait doucement sur ses terrasses. Les gouttes d'eau roulaient, s'enlaçaient, devenaient des filets qui dégoulinaient le long des stores, faisant des rideaux d'eau aux boutiques. Je songeais à l'oued Harrath et à ma famille qui s'était résolue à ma fugue, les menaces de mon frère Ali s'étant avérées des antariyyat [1] sans conséquence.

Qu'avait fait Tanger de moi ? Une pute. Une pute en tout point pareille à sa médina que j'aimais pourtant bien plus que sa partie européenne, marquée de mes pas et de ceux de Driss l'insouciant. Les aristocrates qui habitaient autrefois dans l'enceinte de la casbah l'avaient désertée pour les immeubles à l'européenne et les pavillons perchés sur les coteaux huppés, avec vue sur mer et chauffeurs gantés pour conduire les berlines. Ils laissaient derrière eux de somptueuses

1. *Antariyyat* : gesticulations héroïques, en référence au héros légendaire, Antar ben Chaddad, réputé pour sa force physique.

demeures aux lustres si lourds qu'aucun plafond moderne ne saurait les supporter, des murs peints à la feuille d'or, des céramiques plein les cours et les terrasses dont les motifs pâlissaient, des boiseries incrustées de stuc que de rares artisans savaient encore travailler. Des ruraux comme moi, pressés de vivre, peu soucieux du faste d'antan, étaient venus remplacer les anciens propriétaires et la médina pourrissait, puant les rats et l'urine adulte.

Et puis j'ai découvert les vertus de la boisson. J'ai mis du temps à fixer mon choix : le vin me barbouillait l'estomac, la bière me donnait la diarrhée et le champagne me collait le bourdon. Seul le whisky, noyé à l'eau, me faisait crépiter tel un feu de bouleau et m'épargnait les vertiges de la gueule de bois. J'en appréciais les marques les plus rares, les plus chères, ce qui faisait rire Driss.

— Tu as raison, ma colombe ! Pécher pour pécher, il vaut mieux choisir les vilenies hors de prix. Ne t'abaisse jamais, mon amande, à te repaître de médiocrité et à te contenter du commun. Tu vexerais tes anges gardiens si tu en venais à vivre au rabais.

Mes péchés se ramassent aujourd'hui à la pelle, ai-je pensé. A quand remontent ma dernière prière, mes dernières ablutions ? J'ai ri dans ma tête : païenne, je me prosternais cinq fois par jour en direction de La Mecque. Convertie à l'amour et aux fractures, j'adressais à Dieu mes suppliques en pleine baise ou bien sous la douche. Musulmane, moi ? Mais alors cet homme, ces femmes, cet alcool, ces chaînes, ces questions, cette absence de remords, ce repentir qui ne vient pas ? Seul le jeûne du ramadan demeurait intact. Il me purifiait de l'angoisse et me reposait de l'alcool. Certes, le ramadan lui-même s'est avéré impuissant à m'interdire le corps de Driss qui ne le faisait pas. Oh, il respectait ma pénitence mais ne lui trouvait aucun mérite. Je ne pouvais lui dire qu'au coucher du soleil ma première gorgée d'eau montait au Ciel accompagnée d'un seul vœu : que Dieu accepte ma soif et ma faim en sacrifice. Qu'Il sache que mon corps est encore capable de Lui être fidèle.

Mais j'ai fait l'amour avec Driss pendant le ramadan, rompant mon vœu et trahissant ma parole. Tout ce que je trouvais à dire à Dieu, c'était : « Ne me regarde pas maintenant. Regarde ailleurs, le temps que je finisse. » Finir quoi ? Cet acte sublime et infâme durant lequel la verge de Driss cognait mon ventre, huileuse et luisante. Nous nous mettions au lit, mon amant et moi, lui tirant sur sa cigarette, moi la tête posée contre sa poitrine brune et noire de poils. Je le caressais et j'avais l'impression de risquer les doigts dans une toison féminine. Sa sueur était la mouille du plus beau sexe qu'une femme puisse exhiber à ciel ouvert. Il aspirait la fumée et je la récupérais, directement exhalée de ses poumons, la gardais dans les miens puis la rejetais, jouissive et jouisseuse, imbibée d'alcool et de nicotine. Mon ventre bouillonnait, n'arrêtait pas de rejeter dans ma culotte et sur les draps mon excès d'amour et d'attente. Je voulais l'avoir tout le temps en moi. Tout le temps. « Reste là ! Ne sors pas. » Il riait, tripotant mon sexe inondé de mon eau et de son sperme. Il avait transformé mon bas-ventre en une bouche qui ne voulait rien d'autre que le prendre, l'héberger pour toujours. Chaque fois qu'il en sortait, je lui disais « Reste » pour ne plus voir mon âme se répandre entre mes jambes, ridicule et banale. Je n'en pouvais plus d'aimer. Je n'en pouvais plus de vouloir le quitter.

La veille de l'Aïd, alors que les enfants couraient en hurlant dans les ruelles chichement éclairées et faisaient exploser leurs pétards contre les murs gonflés d'humidité, Driss m'a fait l'une de ses brillantes tirades, la dernière avant la rupture :

— Vois-tu, dit-il, je t'aime. Et je ne le veux pas. La vie, c'est une bite. Elle se dresse, c'est bon. Elle se flétrit, c'est fini. Il faut passer à autre chose. La vie, c'est un con. Il mouille, c'est bon. S'il commence à se poser des questions, il faut laisser tomber. Il ne faut pas se compliquer l'existence, mon rossignol. Une bite. Un con. Point. Quand vas-tu le comprendre ?

— Je m'applique, tu sais. Un jour, à force de t'écouter, je pourrai enfin te quitter.

— Me quitter, pour quoi faire ? Non, tu ne pourras pas te passer de ce zob qui bande pour toi sans faiblir et n'arrête pas de s'égoutter entre tes fesses, sans que tu consentes à lui offrir ton œillet.

— Je ne te hais pas encore assez pour t'offrir mon derrière.

— Me haïr ? Dis, tu es soûlante avec tes grands mots d'amour et ta gueule de tragédienne ! Tu commences à m'énerver avec tes « Je t'aime », « Je te hais », « Un jour, je te quitterai » ! Je ne t'ai jamais menti et t'ai toujours dit : « Moi, je bande, je prends, je gicle, je jouis, j'oublie. » Qui te monte la tête ? Qui te monte à la tête ?

Evidemment personne. Pas même les récentes lectures que Driss m'avait imposées, tels sa Simone de Beauvoir, son Boris Vian et son Louis Aragon. Ni ces chansons françaises qu'il appelait « chansons à texte », pompeuses et prétentieuses. Il ne jurait que par Léo Ferré. Moi, je trouvais plus de velouté à la voix de l'autre, la Greco. De toute façon, seule Oum Koulthoum faisait frissonner tout mon être. Le reste des voix recevait le plus souvent de ma part un bras d'honneur rageur et un « peuf » excédé. Il me traitait d'Arabe encroûtée. Je lui disais : « Va te faire foutre », sans desserrer les dents.

Et puis Driss m'a parlé de Hamid. Il faisait bleu sur Tanger et la matinée de ce dimanche-là incitait à la paresse et aux câlins. L'opulent plateau du petit déjeuner m'a fait penser que je passais plus de temps chez mon amant que chez Tante Selma qui ne me parlait quasiment plus. Bien sûr, j'avais envie de faire l'amour, mais Driss avait envie d'autre chose. Il voulait se masturber sous mes yeux.

La tête de sa verge saillait, massive et rouge, et le membre, superbe, exhibait ses veines gonflées, gorgées de sang, triomphal. Je regardais, fascinée et plus troublée que je n'aurais voulu l'avouer. Driss y allait délicatement, pressant le gland entre deux doigts, puis reprenait le membre entier, la main tendre et maternelle. Pour la première fois de ma vie, j'ai pris conscience, de la manière la plus totalement matérielle et physique, que j'avais le clitoris en érection et qu'il pointait entre mes lèvres, affamé. Plus jamais je n'ai cru, après cette découverte, à la passivité féminine. Je sais lorsque je mouille, tremble et bande, même si mes jambes demeurent serrées et mon visage placide.

La main de Driss enrobait le membre, le pressait comme je n'ai jamais su faire. Il allait m'éjaculer à la figure sans que mes seins ni mon sexe y soient pour quelque chose. S'ils peuvent se donner autant de plaisir tout seuls, pourquoi les hommes tiennent-ils à nous pénétrer ? Je voulais le couvrir de mes lèvres. Il a refusé. « Non », a-t-il dit, en se massant du centre jusqu'au bout, amoureux de sa bite qu'il savait belle.

— Non, les femmes ne savent pas branler, a-t-il expliqué. Juste sucer. Et encore ! C'est moins bon qu'avec un homme.

Se transformer en statue de sel, cela aussi je savais le faire désormais.

— Tu as forniqué avec des hommes ?

— Mon amour, mon jus de mangue et de myrtilles sauvages, qu'est-ce que tu crois ? Oui, un mec m'a sucé. Et c'est tellement bon que je me demande si je ne vais pas renoncer aux femmes.

Il saillait comme un âne, débordant sa propre main droite et il ruisselait d'eau transparente.

— Pourquoi tu tires la tronche ? Et toi, alors ?

— Quoi, moi ?

— Tu n'as pas protesté quand Saloua a fourré sa langue dans ton amande, la dernière fois.

— Parce que Monsieur a préféré gicler dans une autre amande que la mienne.

Il a ri, m'embrassant à pleine bouche :

— Tu t'améliores, tu sais ! Tu commences à parler comme moi. J'adore ton obscénité d'oie blanche. Encore un effort et tu pourras coller des hémorroïdes aux gardiens de la vertu. L'idéal, ce serait que tu écrives plein de ces grossièretés exquises et que tu les placardes sur les murs. Mais rassure-toi : je suis fou de ton amande, ma vierge trempée de mouille, et si l'envie te venait de prendre ton pied avec la vieille lesbienne mercantile, je ne te le reprocherais en aucune manière.

— Ça ne m'intéresse pas.

— Arrête, bébé, arrête ! J'ai horreur qu'on se mente devant moi, tu le sais bien. Est-ce que je te mens, moi, quand je te dis que le cul de Hamid est superbe ? On dirait une chatte, tellement c'est glissant ! Et son tison, alors !

— J'aurais dû comprendre que tu étais homo jusqu'à l'os le jour où Saloua t'a fourré sa langue dans le derrière.

— Holà, je ne suis pas une tapette, même si j'estime que chacun est libre d'user de son cul comme il l'entend ! Et si Saloua m'a fourré sa langue dans le trou du cul, c'est parce que les hommes s'ouvrent par là quand ils éjaculent. Il faut tout t'apprendre, ma colombe. Cette garce de Saloua a tripoté trop de bites et de derrières pour ne pas connaître cette règle élémentaire du plaisir. Toi, tu n'oses pas. Tu n'oses rien.

— Tu n'as pas honte ? Toi, te faire enculer ?

— Moi, j'aime baiser. J'aime les chattes baveuses comme une omelette. J'aime ma bite qui est là devant toi, prête à exploser. Pour ce qui concerne ta chère morale, sache que je n'ai jamais touché à un enfant ni à une vierge. Quant à Hamid, il ne m'encule pas. Il me fait juste goûter au paradis.

— Que va dire Tanger de son brillant médecin ?

Il a éclaté de rire, a ouvert largement les cuisses et s'est trituré le bout du sexe, sur le point de succomber.

— Tu es bête... Tu es innocente... Tanger s'en fout éperdument ! Il lui suffit que les apparences soient sauves ! Ne m'oblige pas à t'égrener la liste des mâles mariés que tu croises dans les salons huppés et qui se font sauter à chaque sieste par quelque h'bibi[1] mignon dans leurs alcôves de bourgeois sur fond d'andaloussi ou de Stones ! Qu'ils crèvent, la gueule ouverte ! Sale fin de race qui n'en finit pas de finir et de persifler. Sans parler des précieuses, casées et largement grands-mères, qui adorent se faire sucer par des lèvres vermeilles et bien nées ! Et puis, chez vous, là-bas au bled, en Auvergne allais-je dire, vous le faites aussi ! Sans y mettre ni joie ni délicatesse, d'ailleurs.

Voilà qu'Imchouk se trouvait maintenant en Auvergne !

— Pour en revenir à tes moutons, Hamid est marié et il est fidèle à son épouse. Il est professeur d'histoire médiévale et incollable sur Pépin le Bref et Berthe aux grands pieds. Le plus important, c'est qu'il a un cul de reine. Même sa femme y mord quand il prend son bain et qu'elle lui frotte le dos avec un gant de crin bien rêche. Je l'ai connu à Fez, dans une villa pleine d'acacias, avec un jet d'eau splendide planté en plein patio. C'était le quarantième jour d'un mort exquis, mon cousin Abbas, et je n'ai pas arrêté de me moquer d'Azraël,

---

1. *H'bibi* : ami ou amant.

choquant les fils du défunt, attristant ses amis à la mine crispée qui froufroutaient dans leurs djellabas en soie, astiqués comme un bidet, parfumés au musc, pleins de fausse piété et des formules d'usage que j'abhorre. J'ai refusé de goûter au couscous rituel comme aux tajines et aux gâteaux qui marquaient la fin du deuil réglementaire. Les femmes étaient fades sous leurs mises en plis. Pas une jeune fille dans les parages. Elles étaient enfermées dans la cuisine et dans les chambres du premier étage, à fumer entre elles leur tabac sucré et à se caresser discrètement les mamelons. La maison était immense et ma flasque de whisky vide. Je suis allé uriner et Hamid était là. Il tremblait quand il m'a chopé au sortir des toilettes, la bite sentant la pisse chaude et l'humeur presque mauvaise tant je déteste la compassion, les deuils mal portés, le théâtre et les tralalas fassis. Ma mère faisait semblant de dormir, assise, raide et fourbe, parmi les baldiyya[1] de sa race et de sa classe, dans la grande pièce du centre, toute en zelliges ocre jaune, les rideaux lourds et les miroirs enveloppés de draps blancs.

Il m'a pris la main et l'a mise sur son sexe :

« De deux choses l'une. Ou tu m'encules ou je t'encule, a-t-il dit.

J'ai éclaté de rire.

« — C'est la faute de la vodka, lui ai-je dit. Je t'ai vu la siroter avec Farid, à l'étage.

« — Tu ne veux pas que je tombe le pantalon ici, en pleine soirée, dans ce patio de vieux bourgeois sur le retour, presque ruinés, déjà momifiés. Touche-moi et tu verras si c'est la vodka qui me fait bander. »

Je n'avais jamais touché un homme auparavant. J'ai baladé la main sur le renflement de son pantalon. Pour le défier. Pour rire. Sa braguette était ouverte et sa

1. *Baldiyya* : élite citadine.

femme conversait dans le salon avec ma vieille Tante Zoubida. Je crois qu'elles sont cousines à je ne sais plus quel degré. Nous étions deux mecs dans un patio arabe et les étoiles étaient pleines, proches, à portée de main.

Driss parlait et fumait, le sexe en l'air, ferme et affirmé. Il était clair qu'il ne bandait pas pour moi.

— Et alors ?

— Et alors quoi ? Toi qui aimes les bites, tu aurais pleuré à la vue de ce que j'ai dégagé de son caleçon. J'en ai pressé le bout luisant et il a chuchoté, brusquement triste : « J'ai froid et la nuit est belle. » Il faut que tu saches qu'il est bâti en force et me dépasse d'une bonne tête.

« Pédé ? lui ai-je demandé en lui serrant le membre.

« — Pas vraiment. Un peu, avec les métayers de la ferme familiale et deux fois à Amsterdam. Mais c'est ta tête qui m'a fait bander. Et ta bouche. Tu dois sucer comme un roi, toi.

« — Oui, quand une fente m'électrise. Mais toi, tu n'as pas de fente.

« — Non, mais je veux être ta femme. Après, je te prendrai.

« — Debout ou sur le flanc ? lui ai-je lancé, sarcastique.

« — Tu te fous de ma gueule, a-t-il dit en me déchargeant sur les doigts. »

En moins de cinq minutes, un mec m'avait dragué, avait mis sa bite entre mes mains et avait joui sous mon nez en me disant qu'il voulait se faire mettre et me rendre la courtoisie.

— Et alors ?

Le sexe de Driss tressautait de désir, un monstre libéré. Il ne se touchait plus. Il se regardait. Puis il m'a dit :

— Et toi, tu en es où, là ? Tu n'en peux plus, n'est-ce pas ? Evidemment, personne n'a jamais osé te raconter de telles horreurs.

— Et alors ?

— Il n'y avait rien à faire dans cette maison arabe dont les moindres recoins étaient éclairés par de fausses lampes à huile. Il était tellement sûr de lui, tellement arrogant que je le tirai vers un coin de la driba et lui roulai un patin. Il rebandait contre ma propre braguette. « Tu la veux ? — Oui. — Demain, à quinze heures chez moi, dans mon appartement. Ça te va ? — Tu me laisseras te sucer ? » Je le coinçai contre le mur, la bite dressée : « Je vais t'enculer sur place si tu continues de m'allumer avec ton langage de pute chevronnée. » Il est allé rejoindre sa femme, je suis rentré chez moi. Je n'ai pas fermé l'œil, troublé et pas vraiment heureux d'avoir poussé le bouchon aussi loin. Vers cinq heures du matin, j'ai décidé de lui faire faux bond. A midi, j'ai commencé à trembler des mains. A quinze heures, je lui ai ouvert la porte avant même qu'il ne sonne.

Driss avait du temps et de l'argent. Driss les gaspillait sans remords. « On va voyager, me disait-il, voir du pays. Tu vas adorer Paris, Rome et Vienne. A moins que tu ne préfères Le Caire ? Tu devrais aller consoler tes frères égyptiens de la raclée qu'Israël vient de leur administrer, après avoir réussi à franchir la ligne Barleev. Mes aïeux, quelle tannée ! Non ? Ma foi, il reste Tunis, Séville et Cordoue. Je t'emmène où tu veux, ma chérie. Je suis ton humble et fidèle esclave. »

Il mentait. Il jouait. Je ne voulais aller nulle part. Et de fait, nous n'avons jamais voyagé ensemble.

— Je ne t'aime plus, Driss.

— C'est maintenant que tu commences à m'aimer, mon chaton. Ne sois pas ridicule. On a tellement de choses à faire ensemble.

A part l'amour, nous n'avions en réalité plus grand-chose à faire ensemble. Le corps est toujours en retard d'un épisode, redoutant les sevrages tant le premier a été douloureux. Je hais la mémoire des cellules pour sa fidélité canine qui ridiculise les neurones et bafoue allégrement le cortex et ses élucubrations. C'est ma tête, et non mon corps, qui m'a sauvée. Elle me conseilla de prendre un appartement tout de suite, quitte à ce que Driss en paye l'exorbitant loyer.

Il m'a écoutée, yeux plissés, puis a tranché :

— On va faire mieux, bébé !

J'ai choisi les meubles, les rideaux et les tapis. Driss acheta les bibelots et un grand lit japonais qui occupa toute la chambre à coucher. Il m'offrit mon premier éléphant en ivoire.

Aujourd'hui, ils sont plus de cinquante à barrir dans la nuit d'Imchouk, mon cimetière élu.

Il ne me prévenait jamais quand il passait, tournait la clé dans la porte sans sonner, me trouvait debout devant l'évier ou la cuisinière à essayer mes propres recettes de tajines et à inventer de nouveaux assortiments de hors-d'œuvre. Cheveux ramassés dans un grand foulard d'un rouge ou d'un vert criards, habillée d'une gandoura ample et presque difforme, je refusais que Driss me touche, se colle à mes fesses ou me morde l'épaule. Cuisiner me permettait de vider la baignoire de ma tête, et de me concentrer sur autre chose que mes plaies.

Il a fini par comprendre mes rebuffades et se contentait, la plupart du temps, de me tenir compagnie, buvant tranquillement son vin, croquant ses olives vertes et ses cornichons, me rapportant les ragots de la ville et m'expliquant les chamboulements politiques qui m'intéressaient modérément.

Driss savait que je ne voulais plus de lui, mais se rassurait en me voyant mouiller toujours autant pour lui, mécanique physique bien huilée qui démarre à la moindre caresse. Il me pénétrait doucement, l'horrible cabotin, de la moitié de son membre et me faisait balancer par-dessus son sexe.

— Ne fais pas ta mule ! Ouvre la bouche que je suce le bout de ta langue. Juste le bout, mon abricot têtu.

Bien sûr, je jouissais. Bien sûr, il n'éjaculait pas. Bien sûr, je pensais à Hamid. « Je suis cocufiée pour un homme », disais-je au miroir, femme saccagée qui rectifiait son rouge à lèvres après chaque passage de Driss.

Le quitter pour aller où ? Driss quadrillait Tanger. Il était partout, la bite fichée jusque dans le cul des hommes. Je me faisais l'effet d'un cadavre après l'autopsie : une dépouille rafistolée avec du gros fil qui attend d'être retirée de la morgue, une étiquette accrochée à l'orteil.

J'ai essayé de l'expliquer à Tante Selma qui m'a expédiée en trois phrases et deux regards méprisants.

— C'était bien la peine de déménager. Cet homme rapplique quand il veut, vient fouiner pour être sûr que tu n'as pas d'amant. Il te saute entre deux partouzes et dort en se foutant de ta tête. Ce monstre a bouffé ta jeunesse. Il t'a eue parce que c'est un citadin friqué et la petite paysanne d'Imchouk adore lécher les savates aristocrates.

Lécher, dit-elle, la sainte femme ! Je ne pouvais tout de même pas lui dire que cet homme me faisait jouir par là où il voulait bien passer. Ma tête. Son quai de gare.

— Tu sais au moins qu'il suffit qu'un cloporte du voisinage moucharde à la police pour que tu te retrouves en taule ? a ajouté Tante Selma. Mais que dis-je ? J'oublie que Madame est maquée avec le plus brillant médecin de la ville et qu'elle est intouchable. Tu dis qu'il t'aime ? Non, ma grande ! Il n'aime que sa pine. Et ne me dis pas le contraire, sinon je me fous la tête contre le mur !

M'aime-t-il, cet homme ? M'a-t-il aimée ? J'en doute. Ou alors à sa manière : désinvolte, détachée, désespérée sous le rire, l'élégance impeccable du geste et de l'habit, sa maîtrise de l'alcool et sa culture, infinie, accablante, légère au commerce de la foule, noire dès qu'il se retrouvait seul face à son silence, avec ou sans femme dans le lit ou sur les bras.

Maintenant, je sais pourquoi il n'arrivait jamais à dormir avant d'avoir fini *Le Monde,* distribué à Tanger avec une semaine de retard, ses classiques arabes dont il ne se lassait pas de relire les tirades brillantes et burlesques, ses polars américains, ses poètes français de l'entre-deux-guerres. Driss m'a appris à lire. A penser. Et je voulais lui couper la tête.

Oui, j'ai fini par comprendre : le cœur de Driss n'avait pas d'entrée. Il était trop solitaire, adorait les paysages minéraux, les vies sans rime ni raison, les esprits chavirés dont le bavardage lui fournissait matière à rire et à méditer.

Je saignais.

Je saignais et rugissais en cage dans ma tête, sans décolérer. J'ai refusé de prendre Driss au téléphone. Je l'ai planté là quand il s'est avisé de venir me chercher à la sortie du bureau. Tous les soirs, je me lavais, ouvrais mes fenêtres, hurlais à la mort et rongeais mon insomnie comme un rat rendu fou par la gale, la peste ou la syphilis.

C'est Tante Selma qui m'a inspiré le remède quand je suis allée la voir, trois mois après avoir quitté sa maison de la médina pour m'installer dans l'appartement de la ville moderne. J'avais les bras chargés de menus cadeaux et une tête de fossoyeur.

Elle a parlé de la pluie, du beau temps, de sa rage de dents, du mariage de la fille de la voisine. Puis elle a conclu sur un ton ferme, tout en secouant la tête :

— Ne dis rien. Le médecin m'a interdit de m'énerver.

— C'est décidé : je le quitte.

— Et voilà, elle recommence ! Tu le quittes, pour quoi faire ? Pour te retrouver au point de départ ? As-tu mis quelques sous de côté, au moins ? Evidemment, non ! Et ton maquereau ? A-t-il pensé à t'assurer un

181

gîte ? Cela lui déboîterait l'épaule de t'acheter cet appartement où il te tringle sans contrat ni témoins ?

— Je ne suis pas une pute, Tante Selma !

— Ça y est ! Mon cœur s'emballe et je fais au moins un bon 19 de tension ! Les putes sont payées à la passe, bécasse ! Lui, il te saute depuis dix ans gratos ! Il te séquestre. Et ne me dis pas que tu travailles ! Il te laisse juste prendre l'air. Elle est où, ta laisse ?

Visage fermé, elle a ajouté d'une voix terne et détachée :

— Débrouille-toi pour que ton clébard enragé achète cet appartement et le mette à ton nom. Fais-le pour moi. Je veux dormir tranquille dans ma tombe.

J'ai pleuré. La mort de Tante Selma était au-dessus de mes forces. Je ne pouvais l'imaginer étendue sur la grande planche du maghssal[1], une laveuse penchée sur sa dépouille, récitant le Coran tout en rinçant ses cheveux blonds à l'eau tiède parfumée à l'atr, cette senteur macabre reconnaissable entre toutes. Je ne voulais pas la voir endormie et morte, un pagne en laine blanche autour des reins, protégeant son intimité du regard forcément brouillé de la laveuse qui en a vu d'autres et qui lui passera, une fois les ablutions funèbres terminées, un linceul immaculé juste après avoir bourré son anus et ses narines de coton hydrophile. Je ne voulais pas embrasser son front froid et lui murmurer : « Pardonne-moi comme je te pardonne » avant qu'on lève le corps et que montent le cri des femmes, leurs sanglots et les « *Allahou Akbar* » des hommes. Je préférais lui demander pardon de suite et lui dire, repentie : « Je t'aime tellement, Tante Selma. »

Elle s'est levée, a emporté la petite table basse sur laquelle traînaient les verres à thé, me signifiant la fin de la visite. En me raccompagnant jusqu'à la porte,

1. *Maghssal* : sorte d'estrade sur laquelle on lave le mort.

Tante Selma s'est mouchée puis a lâché au moment où je l'embrassais sur la tempe :

— Rappelle-toi que seul un homme est capable de couper son zob à un autre homme. Va, que Dieu te garde.

La recette était connue : prendre un amant pour me venger de Driss. Je me suis réveillée au milieu de la nuit dans mon lit, glacée, trempée de sueur et totalement lucide. Tante Selma, je vais faire mieux que de prendre un amant.

Je n'ai pas eu à demander que Driss mette l'appartement à mon nom. Il l'a fait de lui-même, après que j'eus extirpé sa bite de ma tête pour la pendre parmi les guirlandes d'ail et de piments rouges séchés qui ornaient les murs de ma cuisine.

J'ai laissé filer quelques jours avant de le revoir, jouant la morte, me réfugiant chez une collègue divorcée qui faisait en douce les quatre cents coups à Tanger et était payée en monnaie sonnante et trébuchante. Quand je l'ai revu, j'avais rajeuni de dix ans, changé de coupe de cheveux et étrennais un tailleur griffé qu'il m'avait rapporté deux mois plus tôt de Milan. Il oublia de m'engueuler, me fêta comme une pucelle, me couvrit de billets neufs et de musique, me suppliant de lui demander la lune. Je lui demandai de faire venir Hamid de Fez et de l'inviter à dîner. Il a ri, incrédule :

— Pour quoi faire ?

— Pour rien. Je veux juste voir de quoi il a l'air.

— Tu vas baiser avec lui ?

J'ai encaissé sa question avec le sourire :

— Après tes deux lesbiennes, je suis baisable à loisir.

Son front s'est plissé. Il a cessé de rire. Pour la

première fois depuis que je le connaissais, il m'a paru inquiet, se méfiant de sa créature.

— Non, je ne crois pas que ce soit une bonne idée.

— Serais-tu jaloux, par hasard ?

— Et pourquoi pas ? Je ne veux pas que les hommes traînent autour de toi.

— Hamid n'est pas seulement un homme. C'est aussi ta femme, non ? Je te promets que je ne baiserai jamais avec une femme... sans ton consentement.

— Bon, maintenant tu arrêtes. Je n'aime pas quand tu fais ta cynique.

— Je te demande de rencontrer mon ou ma rivale. Tu me dois bien ça.

Juste pour crâner, il insista :

— Et si j'ai envie de le sauter ?

— Eh bien, je te regarderai faire. Au point où j'en suis.

Ni Driss ni moi nous ne reparlâmes du projet durant quelques semaines. Simplement, je lui refusai mon corps, déclinant ses invitations à dîner et ignorant ses avances. Il me hurla un jour au téléphone :

— Je vais finir par le mettre à un âne si tu continues de me négliger.

— Je suis sûre que l'âne se fera une joie de te rendre la courtoisie.

Il raccrocha en blasphémant.

Il a fini par céder et c'est moi qui ai accueilli Hamid chez Driss, boulevard de la Liberté. Galant, Hamid s'est incliné sur ma main, a rajusté sa cravate et dit :

— Cela fait une éternité que je veux te connaître. Driss m'a tellement parlé de toi.

Driss n'était pas à l'aise. Il s'est contenté de grogner un bonjour, a servi du whisky et du vin rosé, aligné ses bols en porcelaine de Limoges remplis d'olives vertes et de pistaches, puis s'est installé dans un fauteuil, renfrogné. Hamid lui demanda :

— C'est à moi que tu fais la tête ?

— Je suis fatigué. J'ai eu une sale journée au travail. Trois pontages coup sur coup.

J'ai susurré :

— J'ai préparé une pastilla aux pigeons. Avec des crevettes grillées en entrée et une salade de concombres. J'espère que vous avez faim, tous les deux.

Ils n'avaient pas faim et Driss se tenait sur ses gardes, surveillant mes gestes et regards comme ceux de Hamid. J'ai débarrassé la table et Driss a servi les alcools, allumant un cigare pour accompagner son cognac. Son humeur ne s'améliorait pas.

Je faisais la vaisselle quand Hamid est venu réclamer des glaçons. Nos doigts se sont effleurés par-dessus l'évier. C'est tout ce que Driss a vu quand il a atterri dans la cuisine pour chercher une serviette, me dit-il plus tard, à cinq heures du matin.

Il a blêmi puis s'est rué sur Hamid, le tirant par le col de sa veste :

— Je t'interdis de lui tourner autour ! Tu m'entends, pédé !

Hamid l'a regardé longuement dans les yeux, le sourire en coin :

— Tu es malade ou quoi ?

— Je suis un psychopathe, un nécrophile, un anthropophage et je nique ta mère si tu t'avises de toucher à Badra. Elle est à moi, celle-là ! A moi, monsieur du Gland !

Hamid s'est épousseté la veste, a défroissé le col de sa chemise et a lâché, livide :

— Et moi, à ton avis, je suis quoi ? Je suis à qui ?

Il est parti, raide comme un chat blessé. J'ai essuyé les plats et les verres puis cueilli mon sac, prête à partir.

— Tu vas où ? Qui t'a autorisée à partir ?

— Driss, tu es ridicule.

— J'en ai rien à foutre ! Tu bouges une oreille et je te loge une balle dans la nuque.

Nous avons passé la soirée assis face à face dans le salon, lui sifflant son alcool et moi comptant les points. A minuit, j'ai risqué un mot.

— Je...

— La ferme ! Je te hais, salope ! Qu'est-ce que tu crois ? Que je ne sais pas ce que tu mijotes et ce que tu cogites ? Tu me prends pour qui ? Tu te prends pour qui ?

— Tu as trop bu !

— Je t'interdis de me parler, vipère ! Tu veux me cocufier, c'est ça ? Maintenant que Madame ne sent plus la bouse de vache et qu'elle porte du Saint Laurent, elle se croit capable de m'entuber. Jamais ! Jamais, je te dis ! Je te crève les yeux, moi !

Il était méconnaissable, horrible à voir. Un vrai forcené.

— Tu vas le payer, Badra ! Faut pas croire !

Il est allé dans la cuisine, a disparu cinq minutes, puis est revenu avec une corde à linge.

— Déshabille-toi.

Je portais des dessous en soie ocre et j'avais mes règles.

— Ne t'avise pas de pleurer, prévint-il.

Je n'en avais pas l'intention. Je voulais en finir.

Il m'a ligoté les mains, les a attachées à mes pieds par-derrière. J'acceptais d'être battue, violée ou les deux. Il avait dit à Hamid que j'étais à lui et à lui seul. Rien d'autre ne comptait. Au contraire, sa colère m'embrasait l'âme.

J'avais la tête contre le sol quand il s'est pointé avec une assiette en étain. Trois charbons y rougeoyaient, menaçants. Il est toujours allé plus loin que mon imagination, a toujours devancé mes fantasmes et cauchemars.

188

— C'est ce que Touhami, le métayer, a fait à Mabrouka quand elle a osé m'embrasser sur la joue en public à l'enterrement de Grand-Mère.

Il me demandait de gober la braise.

— Touhami, le métayer, n'est pas plus rajel[1] que moi ! Touhami a su tenir sa femme. Il a su la dresser. Ouvre la bouche !

Je n'ai pas hésité. J'ai eu le menton et le bout de la langue brûlés. J'en garde un léger zozotement que seule une oreille attentive relève, mais comme personne n'écoute...

Il m'a soignée sans me détacher, m'a retournée, seins en l'air, puis emportée dans ses bras comme une mariée jusqu'au lit pour m'y coucher. Je n'ai pas gémi. Je n'ai pas protesté. Je ne pouvais pas parler.

Alors c'est lui qui a parlé. Et pleuré pendant des heures. Il s'est tapé la tête contre le sol puis contre les murs.

— Tu veux me quitter. Maintenant, je sais que tu me quittes. Pourquoi ? Bien sûr que je suis fou. Bien sûr que je ne vaux pas un clou. Mais moi, Badra, je t'aime. Ma mère m'a abandonné quand mon père a eu son accident en France sur la route des calanques. Et tu veux recommencer, faire pareil. Tu te venges de qui et de quoi ? Pourquoi ne me demandes-tu jamais de t'épouser ? Pourquoi tu n'es jamais tombée enceinte de moi ? Pourquoi je ne t'ai jamais fait avorter ? Tous les hommes ont des femmes. Moi, j'ai seulement un con qui me boit et qui ne me dit jamais : « Prends-moi ! Garde-moi pour toi tout seul ! Protège-moi des bites et de la cruauté du monde. » Oui, tu dis « je t'aime », mais à l'égyptienne, avec miel et tambourin. Je hais l'Egypte et lui pisse à la raie ! Aime-moi comme tu aimes ton oued Harrath, putain, et je t'épouse dans l'heure qui suit !

1. *Rajel* : homme, mâle.

Lui dire qu'il a été mon oued Harrath et toute Imchouk à lui seul ? Lui dire qu'il a été tous mes hommes et toutes mes femmes à la fois ? Lui dire que je n'ai jamais mis les pieds en Egypte et que je ne suis pas arabe, comme il le croit, mais berbère à pleurer ? Lui dire que je ne sais pas comment l'aimer comme lui voudrait être aimé et qu'il ne m'aime pas comme je voudrais être aimée ?

Oui, nous avons fait l'amour, malgré mes menstrues. Oui, je l'ai sucé du bout des lèvres, la langue brûlée. Oui, j'ai joui. Oui, il a bu mon foutre à petits coups de langue donnés de biais. Mais non. Il ne m'a pas détachée. Simplement, il a fourré l'acte d'achat de l'appartement entre mes seins couverts de suçons et de morsures avant que l'aube ne pointe. L'appartement avait été mis à mon nom dès le premier jour.

Dans la rue, ma silhouette faisait tituber les vitrines. Des hommes me suivaient, parfois grossiers, souvent sonnés par le vin et le soleil. Voilà, me disais-je. Ils courent derrière leur propre mort, demandent qu'on les décapite d'un coup de mâchoire. Un seul. Tanger ne sentait plus le soufre, mais le sang frais.

J'en ai connu des hommes, après ma rupture avec Driss. Connaître n'est pas aimer et aimer m'était devenu impossible. Inaccessible. Je ne l'ai pas su tout de suite. Rencontre après rencontre, l'amour m'élançait tel un membre fantôme. Amputée du cœur, j'ai continué, néanmoins, à transpirer des mains et à bourdonner telle une abeille dès qu'une rencontre me semblait décisive, un visage sensible, une dentition parfaite, un homme vibrant et caressant.

Puis l'évidence s'est faite de plus en plus évidente : le désir seul me faisait courir et languir. Désir de jouer, de tuer, de mourir, de trahir, de cracher et de maudire. De baiser aussi. Baiser comme rire, vider un verre d'eau ou ricaner devant le spectacle des séismes et des raz de marée. Baiser en se foutant royalement des flacons. Il n'y en avait pas. Le corps n'existe pas. Il n'est qu'une douloureuse métaphore. Un leurre. Un jeu souverainement ennuyeux, mortellement répétitif.

Tous ces corps que j'ai sautés comme autant de remparts, à deux, à trois, à plusieurs, à vide, à l'infini ne pouvaient rien pour moi comme je ne pouvais m'y arrêter. J'ai compris qu'aimer n'était pas le fait de ce monde et que mes hommes laisseront à jamais mon âme béante, faute d'avoir saisi que mon vagin lui sert d'antichambre ou de préambule, et qu'on n'y entre pas comme on va au bordel.

J'ai tiré des coups comme bon m'a semblé, libre et détachée. Ceux qui se sont crus maîtres de mon corps n'ont été que ses instruments, les jouets d'un soir, des alcools plus ou moins forts qui n'ont servi qu'à écourter mes nuits et tromper mes migraines.

Pendant quatorze ans, j'ai été une fente. Une fente qui s'écarte quand on la touche. Peu importe que le geste soit dicté par l'amour, le désir, la cocaïne ou la maladie de Parkinson. L'essentiel était que ma tête reste hors coup, hors champ, qu'elle se récite des poésies mortes, se raconte des blagues salaces ou qu'elle refasse le compte des dépenses du mois. Ma tête se devait de rester ferme, fermée et chaste en attendant que le corps-partenaire, le corps-mercenaire, le corps-étranger repasse le pas de la porte et s'enfonce dans la nuit et ses cendres froides.

J'allais de demeures de luxe en arrière-boutiques de marchands enrichis, du plus profond des alcôves aux impasses peu sûres. Chaque fois que j'entrais chez un de mes amants, j'avais la sensation étouffante des portes closes et des fenêtres scellées. Et, à défaut de les ouvrir au grand jour — car je craignais les voisins, les passants, les brigades des mœurs ou la visite surprise d'un natif de mon village —, je développais un instinct exceptionnel pour identifier les issues cachées, le labyrinthe des petites ruelles qui m'emmenaient à travers la médina dont le tracé complexe était à l'image de mes aventures... J'ai voyagé aussi.

Beaucoup. J'ai vu du pays et découvert bien des mœurs, aux frais de mes amants.

Invariablement, je me lasse. Invariablement, je m'ennuie. Invariablement, je congédie. Un sexe, même le mieux pourvu, n'a d'intérêt que s'il me fait jouir. Je me fous qu'on me parle de Nasser ou de Hajjaj Ibn Youssef le sanguinaire. Je me fous de la politique, de la génétique, du droit canon et de l'économie de marché. Les hommes parlent et moi je me presse les tempes. J'attends qu'ils épuisent leur stock de mots et me tringlent longuement, lentement, en silence. Dès que mon vagin cesse de baver son plaisir, je tourne le dos à qui vient à l'instant de me donner des crampes et des orgasmes. Je me fous de la reconnaissance du bas-ventre. Je me fous de la tendresse comme de la tristesse post-coïtum. J'autorise mes amants à seulement se taire, dormir ou partir. Dès que la porte claque, je jubile. Je me mets un disque de jazz ou d'andaloussi. Passé minuit, je n'écoute jamais de voix arabes car elles me lardent de coups de couteau. Les Arabes me blessent même lorsqu'ils se taisent. Ils me sont trop proches, trop transparents.

Je ne compte plus les bouches baisées, les cous mordus, les queues sucées, les fesses griffées qui encombrent aujourd'hui mes tiroirs.

J'en ai connu des queues. Des grosses et des paresseuses. Des petites et des vaillantes. Des agressives et des lascives. Des maladroites et des nonchalantes. Des folles, des molles et des sages. Des tendres et des cyniques. Des étourdies et de fieffées menteuses. Des brunes et des blondes. Et même une jaune et deux noires, par pure gourmandise.

Certaines m'ont fait pleurer de plaisir. D'autres m'ont fait rire. L'une d'elles m'a laissée sans voix tant sa dimension était dérisoire. Une autre ressemblait à une trompe tant elle était énorme. Mon vagin se souvient de toutes, repense à certaines avec tendresse mais jamais avec reconnaissance. Elles n'ont fait que me verser un dû. Heureusement, j'ai abandonné depuis longtemps toute idée de vengeance. Sinon, je les aurais toutes coupées.

Aujourd'hui, dans ses nuits de douleur et de morphine, Driss me chuchote, absent à l'obscénité de l'aveu : « Je t'aime. Je n'ai jamais cessé de t'aimer. » Je le sais et c'est pourquoi je m'applique à tailler le rosier et à nourrir les lapins dans leurs clapiers.

Il m'a dit s'être arraché les yeux de remords. Il m'a dit s'être coupé la langue. La mienne n'a plus su dire « je t'aime » à quiconque, hormis aux arbres, aux tortues et aux aubes délavées qui se lèvent juste avant que je ne désespère de revoir la lumière et d'entendre le coq chanter. Il m'a dit s'être tranché la gorge, mais c'est la mienne qui en porte la cicatrice.

Quand j'ai quitté Driss, mon cœur brisé n'a pas tardé à devenir multiple. En abjurant son visage, je suis devenue prosaïque, le cul à la portée du premier venu, ou presque, refusant que mes amants partagent mon sommeil, mon ultime citadelle, une fois la bagatelle expédiée.

Le corps des autres est un désert. Au bout de quelques années, ils se confondent tous. Celui que j'ai branlé sur les rives du lac de Constance comme l'autre qui n'a pu me pénétrer lors de notre croisière sur le Nil. Celui dont j'ai manqué défoncer le cul par un godemiché éléphantesque comme celui dont je suis tombée enceinte deux fois par négligence. Il fut un temps où je variais les amants au rythme des saisons. Un tous les trois mois. J'aurais voulu qu'un homme bloque le tourniquet, ralentisse mon moteur trop puissant pour ma carcasse. J'aurais voulu rencontrer un homme patient. Pour l'impatiente que je suis, rien n'est plus impressionnant que les gens qui savent attendre. Mais personne n'a jamais attendu que je me calme, que je me pose sur sa plus haute branche et commence à pépier. Les hommes sont trop pressés, trop accélérés : bouffer, bouger, éjaculer, oublier. En cela, ils me ressemblent et je ne leur en veux pas.

C'est curieux, seule une femme a tenté d'écorcher mon écorce, tombée amoureuse de moi à mon insu avant même que je ne me couche et ne la touche.

Wafa était une voisine de palier du temps où j'habitais face au cimetière. Elle passait souvent le soir boire un thé, fumer et écouter les disques de Brel que m'avait offerts Driss juste avant la rupture. Je carburais au whisky sec et aux borborygmes, trop blessée pour parler, trop désarticulée pour tenter de composer une phrase. Elle ne me demandait rien, me couvait du regard, vierge énamourée, déjà séduite, déjà abandonnée. J'oubliais de l'inviter à manger. J'oubliais qu'il fallait que je dîne moi-même. Au fil des soirées muettes comme des tombeaux, elle apprit à nous préparer de petits en-cas, puis à faire les courses, puis à s'occuper du dîner sans jamais me demander un sou ni un avis. Elle faisait la vaisselle avant de regagner son appartement de jeune veuve esseulée.

Puis elle a commencé à laver mon linge, à repasser mes draps et mes robes, est devenue mon toutou, mon balai et ma bonne à tout faire. J'étais anesthésiée par la douleur, aveugle à sa misère et à son vertige. Refusant de recevoir mes amants, je sortais souvent le soir et trouvais, en rentrant, sa lumière allumée. Le lendemain, elle arborait une mine de déterrée, les yeux cernés et la bouche amère. Elle connaissait Driss, devinait l'exacte nature de mes escapades nocturnes et s'interdisait tout commentaire sur ma conduite. Elle guettait, attendait, sursautait lorsque je la frôlais d'une épaule ou me frottais distraitement les seins en sa présence. Cela dura deux ans. Pas une seule fois elle ne m'a accordé une confidence de femme. Mais son désir faisait un tel tintamarre qu'il me semblait entendre une armée de casseroles se traîner de pièce en pièce et cogner contre les murs de ma maison. J'ai choisi de me taire, sans doute par fatigue. A moins que ce ne soit l'indifférence. Celle des grands brûlés.

Un soir d'été, alors qu'un vent chaud écrasait Tanger sous un couvercle de plomb, elle m'a servi un whisky corsé, a virevolté dans le salon et soudain posé ses mains glacées sur mes épaules nues. Je n'ai pas bougé.

— Tu sais...

— Non, je ne sais pas. Je ne veux pas savoir.

— Badra...

Elle a effleuré ma nuque d'un baiser léger.

— Tu ne sais pas ce que tu fais.

— Je fais exactement ce que j'ai envie de faire depuis que je te connais.

— Tu ne me connais pas.

— Plus que tu ne crois.

— C'est le vent et l'absence du mâle qui te tournent la tête.

— Jamais ma tête n'a été aussi claire.

— Il se fait tard... Tu devrais rentrer te coucher.

Elle s'est éclipsée et je suis restée seule à humer l'odeur des arbres fraîchement arrosés et celle du jasmin qui montait, têtue comme le remords. J'étais triste. De morale, je n'en avais plus assez pour défendre Wafa contre ses démons et les miens propres. Comment lui dire que je n'étais qu'un mirage ? Que je n'existais pas ? Je savais qu'elle réclamait des caresses et un amour que j'étais incapable de donner. Les années servent à cela : aiguiser un septième sens qui vous dit tout de suite si un corps vous désire, si une âme veut vous boire jusqu'à la lie. Je me découvris une pitié immense pour Wafa mais, dans mon paysage minéral, il n'y avait nulle oasis où s'abriter, nulle main pour déposer des dattes et un bol de lait à ses pieds.

Je n'ai pas pu le lui dire et elle n'a pas su renoncer. Je ne l'ai pourtant pas mise dehors. Nos soirées, jadis inanimées, se sont alourdies de ses ferveurs contrariées. J'appris à la ménager, dérobant à son regard les détails les plus anodins de mon corps, adoptant des robes amples qui me servaient de cuirasse, évitant toute posture qui puisse ressembler à une invite. Elle faisait tacitement mon siège. Je lui tenais tête sans mots. Cette bataille silencieuse viciait l'air et le saturait d'un mal d'amour qui glaçait la pierre me tenant lieu de cœur.

Elle est tombée malade, terrassée par une fièvre bizarre qui l'auréola d'une beauté douloureuse, celle qu'ont les madones au pied de la Croix. Je lui fis des soupes, lui appliquai des compresses sur le front et les tempes, changeai trois fois par jour ses draps trempés de sueur. Un soleil forcené tapait contre les volets fermés et une lourde moiteur me poissait les doigts et la peau. J'avais besoin de plages, d'air salé et de soirées fraîches, mais je ne pouvais l'abandonner au mois d'août, désert et cruel. Elle me prenait en otage et je me débattais à peine, gluée dans sa torpeur de moribonde.

Je crois que c'est la colère qui m'a poussée, au bout de cinq jours d'un huis clos morbide, à l'asseoir de force dans le lit et à la dévêtir d'une main qui n'admettait aucune protestation. Ses seins étaient lourds et laiteux, leurs aréoles d'un rose pâle, leurs tétons à peine dessinés. Je pris son sein gauche dans la main, le regard planté dans le sien telle une épingle. Immédiatement, ses yeux se sont remplis de larmes. Elle voulait parler. J'ai secoué la tête :

— Pas un mot. Pas un geste. Tu t'es passé la corde autour du cou et je suis le meilleur nœud coulant qui puisse se trouver. Regarde-moi. Ceci n'est pas un viol. Je ne te veux pas. Je ne t'aime pas. Je ne suis ni ton homme, ni ta femme, ni ton godemiché. Je ne suis pas ta semblable non plus. Je t'accorde mon poison, rien que pour cette fois-ci. La dernière. Si tu insistes, je te décapite et t'enterre dans ta chambre, sous ton lit. Je veux que tu déménages, que tu disparaisses. Je n'en peux plus de ton veuvage. Ouvre la bouche, desserre tes dents. Tu trembles. Ne serre pas les cuisses. Ne m'oblige pas à te battre. Tu mouilles de peur. Combien d'années depuis la dernière fois ? Il faisait comment, ton mari ? Droit au but, deux coups de reins et une éjaculation précoce ? A-t-il fourré sa langue dans ton nombril ? T'a-t-il mordu l'intérieur des cuisses comme je fais maintenant ? Ne me touche pas. Je ne suis pas une pine. Ne me supplie pas du regard. Es-tu assez ouverte pour subir mes doigts ? Non. Tu te crispes et tes seins tressautent sous mes morsures. Il s'en égoutte un liquide amer. Le même que celui qui mouille ta chatte maussade. Regarde-moi. Tu n'auras rien d'autre qu'un orgasme. Je te baise et plus jamais tu ne battras des cils quand on te parlera de baises féroces cueillies à la dérobée. Cesse de jouer les mantes religieuses. Qu'avais-tu à t'enticher de la voisine qui change d'amant tous les soirs et n'a que faire de tes soupirs endeuillés ? Vois. Tu n'es maintenant qu'une flaque de foutre féminin. Tu n'es qu'un vagin clapotant que je tiens à ma merci. N'est-ce pas ce que tu as voulu ? Tu ondules et veux me happer dans ton secret qui frémit et panique, je le vois, sous ma main qui en prend possession. Tu demandes grâce, réclames la délivrance. Je ne suis pas délivrance. Je suis ton bourreau d'une heure qui va te faire partir à l'instant, en même temps, par trois trous différents.

Le pire, c'est qu'elle a vraiment joui.

A aucun moment ma peau n'a touché la sienne ni ma bouche titillé son centre de gravité. Je l'ai baisée sans l'ombre d'un désir, sans une goutte de tendresse, irritée qu'elle m'ait imposé son corps, qu'elle s'en soit servie comme d'un alibi, un piètre chantage à la mort. Je l'ai abandonnée, cheveux défaits, à moitié nue, ridée et fanée. Je n'ai jamais aimé les araignées. Encore moins les gens qui aspirent la lumière et, planètes mortes avant l'heure, refusent de la restituer. Baiser pour baiser, je préfère rire et danser, gicler par tous les pores et boire les bites au goulot, sans ciller. J'aurais fait l'amour avec Wafa si elle avait été solaire. Mais les soleils roulent et ne courent pas les rues. Avant de partir, je lui ai glissé à l'oreille : « Ne remets plus jamais les pieds chez moi. » Elle a déménagé quinze jours après l'épisode. J'espère qu'elle a trouvé une femme pour l'aimer.

Quand Driss est venu m'annoncer son cancer, j'avais déjà couru la planète, amassé une petite fortune et changé deux fois d'adresse. Au travail, j'avais grimpé plusieurs échelons et préparais ma retraite anticipée.

Il dit n'avoir jamais perdu ma trace. Je n'en doutais pas : Tanger n'est qu'un gros bourg quadrillé par les cancans. Il dit s'être installé dans une villa accrochée à la falaise, surplombant la mer, mais je le savais. « Je t'invite à dîner », proposa-t-il, le regard voilé.

Depuis 1976, la ville avait changé et nos restaurants d'antan étaient pour la plupart devenus des tripots. Sauf celui de la Roseraie dont la terrasse, ouverte sur la mer, sertie de deux allées de lauriers-roses, s'illuminait tous les soirs des contre-feux du couchant espagnol.

Driss roulait en Mercedes. Il m'a demandé de prendre le volant et s'est contenté de regarder les vagues frissonner sous les premières brises de la nuit.

Quatorze ans après la rupture, nous n'avions apparemment rien à nous dire, ou si peu. Nous avons donc pris les mêmes poissons grillés qu'autrefois avec des frites comme garniture. La pop égyptienne se déversait, assourdissante. Driss a appelé le maître d'hôtel et demandé qu'on arrête « cette musique de merde que nous impose la vieille catin pharaonique ». J'ai éclaté de rire.

Normalement, la vieille catin, c'était la France et non l'Egypte.

— Eh bien, elles sont deux maintenant, trancha-t-il.

Il voulait que je raconte. Je lui parlai de Dublin, de Tunis et de Barcelone, de Vermeer et de Van Gogh, des estampes érotiques de Katsushika Hokusai. Il soupira : « Ah, tu me plais ! Tu me plais ! Et j'adore ton vernis. Ton parfum aussi. Dior, si je ne m'abuse ? » Puis je lui parlai de ma retraite prochaine.

— Je quitte Tanger.

— Ah... Tu te maries ?

— Non, je reviens juste au bercail.

— J'ai su pour ta mère... Tu récupères la maison familiale ?

— Je rachète leurs parts à Ali et à Naïma.

— Tu n'as jamais aimé Tanger.

— Ce n'est pas vrai. Aucune ville ne m'a donné autant que Tanger.

— Pris aussi, j'imagine.

— Oh ! La ville n'y est pour rien.

Je respirai l'air marin à pleins poumons, regardai les balanciers glisser sur l'eau du port. La soirée s'annonçait douce et le fond de l'air était chaud.

— Je veux rentrer avec toi, dit-il.

Je secouai la tête, maternelle :

— Ce n'est pas raisonnable.

— Je ne parle pas de ce soir. Je te parle de toujours. Je veux rentrer à Imchouk.

— Tu ne peux pas. Ce n'est pas chez toi là-bas.

— Tu es mon chez-moi. Et je veux rentrer chez toi.

Il a raconté les métastases, la morphine, le stade

final. Mes larmes ont inondé la daurade à peine enta-
mée et les rondelles de citron vert. Je n'ai eu qu'une
serviette de table pour les essuyer.

J'ai levé les yeux vers le ciel. Qu'allions-nous faire ?

— Badra, veux-tu m'épouser ?

— Jamais !

— Tu ne peux pas rentrer à Imchouk, un homme au
bras, sans épousailles.

— Ça, c'est mon affaire ! Pourquoi tu ne t'es pas
marié ?

— Pour les mêmes raisons que toi, j'imagine. Trop
de liberté, trop d'orgueil, trop de tout.

Nous n'avons pas parlé d'amour. Ni du passé. En
quittant le restaurant, Driss m'a pris le bras, puis s'y
est appuyé. Mon homme avait vieilli. Il était désormais
mon copain.

Driss est revenu avec moi à Imchouk pour demander à Dieu une rallonge ou, à défaut, de mourir dans les blés.

Je le regarde et le reconnais à peine. Il est assis près de la fenêtre, dans la maison des hajjalat, notre nouveau gîte après le déluge. Il contemple le ciel et dit entendre le vent du désert souffler dans sa poitrine. Je m'approche et prends sa tête contre mes seins. Il m'embrasse à travers l'étoffe, puis vole un baiser à l'échancrure. Ses cheveux ne sont plus aussi drus qu'avant, mais sentent toujours l'eau précieuse.

La nuit tombe. J'admire la Grande Ourse et je vois les étoiles filer. Je n'ai pas dit à Driss que je revoyais Sadeq, le premier homme qui a guidé mes pas d'étrangère à Tanger. Je me dis parfois que j'ai tué Sadeq et que ma place est en enfer, Dieu pleurant encore la mort d'un jeune homme de vingt-quatre ans, fou et plein de bonnes manières. Pourtant, Dieu sait que je n'ai pas vu Sadeq tomber. Que je n'ai rien compris à son malheur.

Parfois, il m'apparaît près du puits, en ce point médian où le nord rejoint l'est, là où je fais mes prières. Il vient toujours entre asr et moghreb ; le visage juvénile et la silhouette devenue frêle. Il sait qu'en ces heures il est interdit de prier. Il ne me parle jamais, me regarde juste contempler la course du soleil vers sa fin. Au début, il pleurait. Depuis que je m'acquitte d'une aumône qui lui est spécifiquement dédiée, il se contente de m'accompagner jusqu'au pas de la porte, dix minutes avant que le soleil ne disparaisse derrière la montagne. Même dans la mort, il est resté jaloux et fier. Il refuse de franchir la porte d'une maison où dort un autre homme que lui.

Depuis qu'il est à Imchouk, Driss s'adresse à Dieu directement, sans prendre de gants : « Dieu Beau et Grand, fais que je rebaise ma femme. Rien qu'une fois. Fais qu'elle me redise "je t'aime". Tu pourras après envoyer Tes anges m'embarquer sans que je proteste. »

Driss a beau avoir la gorge bouffée par les métastases, sa voix lui revient lorsqu'il me parle ou lorsqu'il prie, car il soutient que ses tirades loufoques sont des prières. Assis dans la cour, une couverture légère sur les épaules, il démarre toujours en douceur, comme pour psalmodier. L'oued Harrath s'arrête alors de courir et les grenouilles de coasser. Les étoiles sont grosses et le chien est à ce point plein de lait caillé qu'il renonce à ouvrir l'œil et ronfle, tel un négus.

— Dieu des papillons et des éléphants, Tu sais que je n'ai aucun mérite. Tu m'as donné Maari, Abou Nawas, Jahiz, Mohamed Ibn Abdillah, Moïse et Jésus, et je n'ai pas su remercier. Tu m'as même donné Oum Koulthoum et Ismahane, mais cela ne m'a pas empêché de chier dans les blés. Tu m'as donné Voltaire, Balzac, Jaurès, Eluard et tous les autres que Tu connais. Tu m'as donné le Nil et le Mississippi, la plaine de la Mitidja et le Sinaï. Tu m'as comblé de vin, de figues et d'olives. Et je n'ai pas su remercier. Seigneur des Mondes, Tu sais aussi que j'ai fait pire : j'ai détourné les yeux quand Salomé a reçu la tête du Baptiste en rançon. J'ai traité Lazare de jobard parce qu'il s'est laissé ressusciter. Je n'ai pas consolé Marie au pied de la Croix et je n'ai pas défendu Mohammed quand les morveux de Thaqif lui ont jeté des pierres. Je n'ai pas défendu al-Hussein, encerclé à Karbala, ni offert une gourde d'eau pour étancher sa soif. Et j'écoute Mozart sans une pensée charitable pour les lynchés de l'Alabama. Seigneur, Tu te souviens de l'Alabama ? Seigneur, as-Tu pardonné le massacre de Deir Yassine en Palestine et celui de Ben Talha en Algérie ? Parce que moi, je n'ai pas pardonné. Oui, Dieu Unique, Dieu Vérité, j'ai péché. Mais... Mais... Je n'ai jamais outragé une vierge ni rabroué un mendiant. Je n'ai jamais admis qu'on déloge les hirondelles de leurs nids ni qu'on abatte les arbres pour imprimer en arabe ces insanités qui insultent Ton intelligence. Bien sûr, je ne suis un exemple pour aucune de Tes créatures. Je n'aurais pas dû toucher au feu, aux seins, aux cons, à la bite de Hamid, à son derrière... Mais ne compte pas, Seigneur des Mondes, ne compte pas. Tu sais que j'ai horreur des épiciers ! Je regarde l'arbre. Je sais. J'entends le tonnerre. Je sais. Je hume la terre après le passage de Ta pluie. Je sais. Je goûte aux mûres. Je sais. Je touche la peau des femmes. Je sais. Pourquoi m'as-Tu fait aveugle, lépreux, paralytique et sourd à Ton chant ? Pourquoi m'as-Tu fait humain alors que j'aurais tellement été plus beau en pierre, en âne ou en partition ?

Il se tait deux minutes puis reprend à l'intention du palmier qui se tient sérieux quoique effaré dans la cour :

— Bon, Tu m'as fait et je ne vais pas Te refaire. Je ne vais pas non plus Te brandir au nez les malades que j'ai rafistolés et qui ont filé droit vers La Mecque, dès que je leur ai retapé le cœur. Non, je ne suis pas mesquin. Pardonne-moi, Seigneur ! Pardonne-moi mais, à Badra, ne pardonne jamais ! Je veux bien mourir. Et même souffrir. Mais, Dieu Miséricordieux, fais que Badra sache que d'amour, je n'ai eu qu'elle et que de dernière demeure, je ne veux que son corps. Par la gloire de Mohamed et de Jésus parmi des mortels, dis-lui que je suis déjà en enfer pour avoir craché sur son amour ! Je meurs. Dansez, grenouilles ! Pavoisez, cloportes ! Badigeonnez-vous le cul de henné, fils de putes !

Il voulait me faire l'amour, m'assurant qu'il bandait toujours aussi bien, mais j'ai refusé. « Je te dégoûte ? Je pue du bec, peut-être ? » Non, Driss. Tu ne me dégoûtais pas. Mais j'avais peur que tu ne trouves plus mes seins aussi fermes et mes fesses aussi bien galbées. J'avais peur que la chair de mes bras tremblote un peu et que tu trouves les poils de mon pubis blanchis par l'âge. J'avais peur que tu débandes brusquement devant ce corps que tu as tant célébré.

Driss disait que les femmes n'enterrent personne. Alors, je l'ai enterré. Il disait qu'il mourrait contre son gré. Pourtant, il n'a pas protesté quand l'imam lui a mis une pincée de terre dans chaque narine et l'a couché sur le flanc droit, face à La Mecque. Je ne l'ai ni lavé ni embrassé de peur qu'il ne ressuscite. J'ai regardé les fossoyeurs daller sa tombe sans protester. J'ai seulement dit à l'imam :

— Vous savez, il va m'embrasser dès que vous aurez le dos tourné !

— Gloire à Dieu, Unique et Miséricordieux ! Laissez-le reposer en paix ! Son corps a quitté ce monde mais son âme n'a pas renoncé au désir ! Nous ne sommes que de l'eau et de l'argile. Que Dieu ait pitié de Sa créature.

C'est vrai qu'il ne m'a plus jamais quittée. Sadeq, lui, ne vient plus. Il a compris qu'il n'y avait que Driss pour m'expliquer, longuement, patiemment et en riant, la mécanique des étoiles et comment sont fécondés les figuiers.

J'écrivais, lorsque j'ai senti une présence dans mon dos et vu une foulée de lumière courir dans la chambre. Un souffle parfumé a effleuré mes tempes. Et un visage s'est penché pour lire par-dessus mon épaule.

Je n'ai pas bougé. Je n'ai pas levé la tête pour identifier mon visiteur, persuadée que c'était l'Ange. Il revient, probablement assagi et plus curieux de mes confidences que de mes fèves.

Pour la première fois, j'ai entendu sa voix. Elle lisait mes propres phrases : « Ma vie fut une succession d'étreintes clandestines et de coïts interdits. Je n'avais pas l'ombre d'une ambition, aucune préoccupation du destin des miens, encore moins de l'avenir du monde. Jusqu'au jour où j'ai connu Driss. Après je n'ai jamais plus aimé. Ce n'est pas faute d'aventures. Bien au contraire. J'allais de demeures de luxe en arrière-boutiques de marchands enrichis, du plus profond des alcôves aux palaces les plus chic. Lucide, enjouée ou indifférente. Jamais plus amoureuse. Chaque fois que j'entrais chez un de mes amants, m'oppressait l'idée des portes closes et des fenêtres scellées. J'échangeais mes jours de dactylo rangée contre des nuits d'amante intrépide. L'obscurité finit par être l'écrin de mon corps adulte, là où, enfant, j'aimais plus que tout batifoler dans la lumière. Je crus alors oublier Driss. »

La voix a égrené le secret des pages manuscrites. L'intimité de mon corps et le plus ténu de mes émois. Le cours atypique de ma vie. L'enfant espiègle que j'avais été et la geisha arabe que j'étais devenue. Les incantations de foi et les mots obscènes. Et mon amour pour Driss. Toujours. Impérieux et irascible.

Aux chapitres les plus grivois, j'ai senti le timbre changer en même temps que quelque chose durcissait dans mon dos. Je me suis retournée et j'ai découvert la boursouflure. Un sexe d'ange ? J'ai mis cela sur le compte de mes fantasmes. Personne n'a réussi à scruter l'anatomie de la progéniture la plus sage de Dieu. Et j'avais beau être expérimentée sur ce registre, je ne pouvais le jurer. J'ai repris ma position, sans avoir, à aucun moment, fixé le visage de mon hôte. C'est alors que j'ai entendu sa voix, cette fois chargée de mépris :

— N'as-tu pas honte de ce que tu viens d'écrire ?

J'ai répliqué sans bouger :

— Tu n'avais qu'à ne pas lire.

— Je ne mesurais pas la gravité de tes fautes.

Et, avec le tranchant de la lame :

— Maintenant, tu vas payer.

J'ai sursauté :

— Mais tu es un ange, ce n'est pas ton rôle...

— Aucune créature de Dieu ne supporterait d'entendre tant d'obscénités dans la bouche d'une femme.

Je me suis retournée. Et, soudain, j'ai vu pendre des bourses géantes et saillir un sexe qui ressemblait en tout à celui de l'âne de Chouikh.

J'ai scruté les quatre coins de la chambre. En vain. Il n'y avait personne. Sauf l'ombre de Driss coincée dans l'entrebâillement de la porte et sa voix qui susurrait : « Oh, mon amande ! Ne sois donc pas surprise. Et apprends-le une fois pour toutes : devant les péchés d'une femme, les anges sont des hommes comme les autres. »

Plaisirs interdits

Les bonheurs de Sophie
Vonnick de Rosmadec

Sophie, la trentaine libérée, entreprend d'écrire ses mémoires. Elle conte ses émois de petite fille, son cousin anglais, les formes affolantes de ses camarades plus âgées... Vingt ans après, a-t-elle beaucoup changé ? Au récit des dévergondages de ses jeunes années, l'amant de Sophie, redoublant d'audace et d'imagination érotique, invite la jeune femme à revivre ses fantasmes adolescents...

(Pocket n° 12198)

Il y a toujours un Pocket à découvrir

Brûlure
Cléa Carmin

B. la rencontre, la séduit, la quitte. Elle reste avec un désir immense, lancinant, qui l'obsède et la ronge. Elle attend un signe de B. Il la surprend, la fascine, la consume d'un plaisir qui n'a jamais le même goût, doux, amer, brûlant, sordide ou éblouissant. B. la torture, mais elle embrasse ses chaînes. Elle ne peut lui résister. Elle l'espère, le désire. Elle est à lui, désespérément à lui...

(Pocket n° 12171)

Entre Ses mains
Marthe Blau

Elle est avocate, elle a trente ans, un petit garçon, et n'a jamais trompé son mari. Pourtant, elle bascule un jour dans la spirale du désir, succombant au charme, puis aux exigences d'un de ses confrères du barreau. Cet homme qu'elle connaît à peine la traite en objet sexuel ; elle obéit à ses ordres et satisfait ses caprices, et la jouissance devient synonyme d'absolue soumission…

(Pocket n° 12043)

Achevé d'imprimer sur les presses de

BUSSIÈRE
GROUPE CPI

à Saint-Amand-Montrond (Cher)
en avril 2008

POCKET - 12, avenue d'Italie - 75627 Paris Cedex 13

— N° d'imp. : 80761. —
Dépôt légal : juin 2005.
Suite du premier tirage : avril 2008.

Imprimé en France